Dublin

Guide de l'architecture contemporaine

Angela Brady and Robin Mallalieu
Photographie de Keith Collie

Dublin

Guide de l'architecture contemporaine

ellipsis KÖNEMANN

•••

Dublin : guide de l'architecture contemporaine

ORIGINAL EDITION CREATED, EDITED AND DESIGNED BY
Ellipsis London Limited
55 Charlotte Road London EC2A 3QT
E MAIL...@ellipsis. co. uk
WWW http ://www. ellipsis. co. uk/ellipsis

TRADUCTION FRANÇAISE
Anne Marie Terel, Paris
RÉALISATION Studio Pastre, Toulouse
CHEF DE FABRICATION Detlev Schaper
IMPRESSION ET RELIURE
Sing Cheong Printing Ltd
Imprimé en Chine

ISBN 3 89508 648 7

Table des matières

Introduction

Ces dernières années, l'Irlande a traversé une période de croissance économique sans précédent, alimentée par d'énormes subventions de l'Union Européenne et par la transition rapide d'une économie agricole à une économie fondée sur le tourisme et sur les nouvelles industries de pointe. Pendant les années branchées de la décennie 1990, l'image de marque de l'Irlande et des Irlandais dans le monde a connu un apogée analogue, l'emblème du vert émeraude et du trèfle évoquant le charme du « monde d'antan » et du « craic » (festivités) aux quatre coins du monde. Mais ce paravent d'émeraude cache une société jeune, débordante d'énergie et avide de modernisation après des années de marasme économique. La réussite et l'autorité de l'Irlande au cours des siècles, impressionnantes dans maints domaines comme la musique et la littérature, vont à l'encontre de la petite taille du pays. Outre une population fixe de 3,5 millions d'habitants seulement, la « diaspora » irlandaise (pour reprendre le terme popularisé par la Présidente Mary Robinson), infiniment plus nombreuse, est disséminée aux quatre coins du monde.

Cette prospérité économique récente a forcément eu un impact considérable sur le tissu urbain de Dublin en tant que capitale. L'image la plus répandue de Dublin est fondée sur l'architecture géorgienne (*) élaborée au cours du XVIIIe siècle, quand la ville s'est hissée au deuxième rang de l'empire britannique. Avec l'Acte d'Union conclu en 1800 avec l'Angleterre, Dublin est entrée dans une période de lent déclin économique dont le manque de ressources a contribué à préserver la cité géorgienne. Elle a survécu pratiquement intacte aux « Troubles » et à la guerre civile qui ont accompagné la formation de l'État irlandais en 1923, jusqu'au boom économique des années 1960. Pendant cette course à la modernité, le tissu historique de la ville a été perçu par la majorité comme un fâcheux rappel du passé impérial, et il a été impitoyablement pillé par les promoteurs immobiliers et par une Municipalité tout aussi âpre au gain. Entre autres crimes contre la ville, il a été proposé de construire des routes d'une ampleur insensée qui ont ruiné des quartiers entiers du centre pour des décennies. L'histoire de cette période sombre dans l'histoire de Dublin est rapportée intégralement dans les livres de Frank McDonald, le correspondant de l'*Irish Times* pour l'architecture, tout spécialement dans *The Destruction of Dublin* (La destruction de Dublin) et *Saving the City* (Sauver la ville).

Une des conséquences fâcheuses de cette période a été le développement des banlieues et le dépeuplement du centre ville. Dublin s'est divisée en rive nord et rive sud de la Liffey : les classes moyennes aisées se sont installées au sud dans les faubourgs en pleine expansion du Comté de Dublin, alors que les classes défavorisées ont émigré vers le nord où les tours massives des ensembles d'habitations abritent des logements sociaux. Dans le secteur sud, le quartier de Merrion Square et St Stephen's Green est devenu celui des commerces et des affaires, abritant les nouveaux grands ensembles commerciaux alors que le secteur nord s'est transformé en terrain vague délabré et décrépit.

Bien que les années 1960 aient produit de nombreux édifices modernes remarquables, notamment ceux des cabinets d'architecture Scott Tallon Walker et Stephenson Gibney, la tendance générale — commune à une grande partie de l'Europe à l'époque — était de procéder à des démolitions regrettables et de construire des bâtiments commerciaux fades, sans aucun égard pour le site ou le contexte. Dans les rares cas où l'on s'est soucié de l'environnement, il en a résulté le plus souvent un pastiche terne et timide de la maison géorgienne.

L'architecture la plus sophistiquée de l'époque a été créée par le cabinet Scott Tallon Walker Architects, fondé par Michael Scott, le premier architecte moderne de l'Irlande qui a été la personnalité dominante du pays pendant de nombreuses années, jusqu'à sa retraite en 1975. Reconnaissant le classicisme inhérent à l'œuvre de Mies van der Rohe, le cabinet l'a appliqué à la ville géorgienne et créé des édifices qui font preuve d'un esprit moderne tout en s'harmonisant au contexte. Le siège de la Banque d'Irlande à Baggot Street et, à une échelle plus réduite, le bâtiment Lisney au 24 St Stephen's Green, en sont des exemples typiques.

Le boom des années 1960 fut suivi d'un autre lent déclin économique pour atteindre son point le plus bas et le plus catastrophique au cours des années 1980, quand la récession gela quasiment la construction. De nombreux architectes dublinois, notamment les jeunes, n'eurent d'autre alternative que de partir travailler à l'étranger, surtout au Royaume-Uni et en Amérique, et ils n'ont pu envisager le retour que récemment.

En même temps que la construction se tarissait à Dublin, il se développait cependant en Europe une réaction contre une architecture moderne indifférente au contexte et méprisant le tissu historique de la ville. L'œuvre de personnalités européennes comme les frères Krier et Aldo Rossi commença à montrer aux villes un nouveau mode de développement, qui reconnaissait l'importance de la continuité historique. Simultanément à cette approche, l'urbanisme moderne souvent désastreux suscita un intérêt croissant pour la question du paysage urbain et de la véritable esthétique urbaine, cause défendue pendant des années par l'*Architectural Review*. Un numéro influent consacré à Dublin, paru en novembre 1974, présentait la façon dont cette sorte d'urbanisme pouvait commencer à redresser une ville qui était en ruines à l'époque.

Il peut sembler banal d'insinuer que l'architecture est avantagée par les périodes de méditation forcée qu'impose une crise économique — avis que ne partagent certainement pas les architectes privés de travail pendant ce temps — mais le succès remporté par les ouvrages récents à Dublin peut être attribué en grande partie au travail théorique effectué pendant la récession des années 1980. Le présent guide couvre des édifices construits entre le milieu de cette décennie et l'époque actuelle, période pendant laquelle les leçons du boom des années 1960 ont pu inspirer les travaux plus récents. Un petit groupe d'architectes centré sur l'Ecole d'Architecture de l'University College de Dublin a exercé une influence notable. Confronté à la désintégration de sa ville jadis magnifique et fort des leçons du rationalisme européen, le groupe a présenté une série d'articles consacrés à des sujets comme « Les quais de la ville de Dublin » en 1986 et « La rue moderne » en 1991. Ces projets illustraient une architecture moderne favorable à la cité historique et abordaient des questions importantes comme le repeuplement du centre ville, le refus d'une planification obsédée par l'automobile et le rôle des monuments au sein de la structure urbaine. L'expérience acquise grâce au travail à l'étranger était tout aussi importante. Plusieurs membres du groupe sont passés par le cabinet londonien de James Stirling dont le propre béguin pour le post-modernisme est né de la même insatisfaction devant les restrictions du modernisme. La recherche d'un style régionaliste distinctement irlandais, reflétant une fois de plus les tendances européennes de l'époque, allait de pair avec ce courant de pensée même s'il devait avoir un impact moins durable. En 1987 deux membres du groupe, Niall McCullough et Valerie Mulvin, publièrent *A Lost Tradition — the Nature of Architecture in Ireland* (Une tradition perdue — La nature de l'architecture en Irlande), suivi de *Dublin — An Urban History* (Dublin — Histoire urbaine) en 1989. Ce sont deux études historiques des caractéristiques de l'architecture irlandaise qui ont eu suffisamment d'autorité pour soutenir les premiers pas hésitants de l'époque vers un classicisme moderne. Quand la construction reprit en Irlande au début des années 1990, ces idées avaient fait leur chemin au sein de la profession jusqu'à certains grands cabinets d'architectes commerciaux et un nouvel urbanisme irlandais moderne s'était développé. Le groupe de l'UCD se transforma lui-même en Group 91 et se lança dans la grande reconstruction de Temple Bar, le projet de proue de la ville.

Dublin est une petite ville de près d'un million d'habitants qui ne compte qu'environ 160 cabinets d'architectes inscrits au RIAI, la chambre syndicale nationale du pays (le fait que toutes les œuvres figurant dans ce guide aient été créées par une petite équipe d'architectes en est le reflet). Dublin est également excentrée géographiquement, thème illustré par une exposition d'architecture récemment tenue au Centre Pompidou à Paris. Dublin est néanmoins une des grandes métropoles d'Europe qui possède d'importants monuments néo-classiques. En tant que capitale, elle abrite naturellement les institutions nationales au grand complet mais son échelle encourage la découverte pédestre. La promenade à pied partant de Pearse Station pour traverser Trinity College, Temple Bar et Dublin Castle suit un parcours urbain relativement dénué de circulation, d'un intérêt et d'une diversité inégalables au cœur de la ville moderne. Cette diversité est créée en partie par l'acceptation de l'architecture moderne au sein du cœur historique de la ville. Dublin ne possède toutefois aucune œuvre d'un architecte étranger de renom et l'Irlande n'a produit aucun architecte d'envergure internationale ces dernières années. La ville a aussi échappé à la majorité des tendances stylistiques récentes, le post-modernisme n'ayant fait qu'une brève apparition et la déconstruction n'étant pas pour l'instant à l'ordre du jour. Il y a en revanche de plus en plus d'architectes doués et tournés vers l'avenir qui, malgré l'impasse du classicisme régional, se dirigent vers une qualité irlandaise contemporaine définissable, manifeste dans la matérialité des œuvres récentes de Gilroy McMahon et Shane O'Toole et dans les préoccupations formelles constantes de Blacam et Meagher.

Étant nous-mêmes des praticiens de l'architecture qui travaillent à la fois au Royaume-Uni et en Irlande, nous ne connaissons que trop les champs de bataille des cabinets d'architectes contemporains. Créer une architecture de qualité est une activité extrêmement difficile qui requiert non seulement le talent et la compréhension de la conception mais aussi une persévérance sans bornes et une détermination obstinée à ne pas faiblir devant les innombrables compromis et intérêts rivaux qui peuvent faire pression sur la vie d'un projet. Essayer de créer une architecture clairement contemporaine dans un univers qui éprouve toujours méfiance et hostilité vis-à-vis de l'architecture moderne ne fait qu'aggraver le problème. Les édifices figurant dans ce livre ont presque tous remporté un certain succès dans ce combat et quelques-uns ont transcendé le processus. La tâche est considérablement facilitée par un maître d'ouvrage bienveillant et d'un grand secours — Temple Bar Properties et Trinity College ne sont que deux des clients les plus gros et les plus influents qui devraient être décorés pour leur appui constant de la création moderne.

Ce livre reflète nécessairement les préoccupations et les intérêts de ses auteurs. Nous avons essayé notamment d'étudier chaque édifice à la fois pour lui-même et dans le contexte du tissu urbain, pour sa contribution à la reconstruction et à l'enrichissement du domaine public. Pour nous, c'est l'épreuve décisive de la construction dans la ville et la question la plus importante pour l'architecture urbaine actuelle.

REMERCIEMENTS
Nous tenons à remercier tous les architectes qui nous ont fourni des documents et des informations et ont pris le temps d'organiser des visites de chantier et de nous présenter leur travail ; les propriétaires qui nous ont aidés en nous permettant de visiter leurs bâtiments ; toutes les revues d'architecture dont les articles ont été précieux pour rédiger nos commentaires, notamment l'*Irish Architect* ; Paul Kearney et Maria Kiernan pour leur généreux soutien, leur hospitalité et leurs conseils ; Rita Mallalieu qui a exprimé le point de vue du profane ; Tom Neville qui nous a offert l'occasion de nous livrer au passe-temps favori de tous les architectes — disserter longuement sur le travail de leurs collègues ; Keith Collie pour la photographie ; et Jessica Mallalieu qui a eu la patience de parcourir plus de bâtiments que ne le mérite une enfant de trois ans.
AB et RM, octobre 1996

(*) NDT : le style géorgien embrasse les diverses tendances successives de l'architecture sous les règnes des rois George I, II et III (1714-1820)

Dublin possède un petit centre ville et des banlieues étendues au nord, au sud et à l'ouest. La zone centrale est délimitée par le Royal Canal au nord et le Grand Canal au sud qui servent de base aux chapitres de ce guide. Les banlieues sont nommées Dublin nord, Dublin sud et Dublin ouest. Le centre ville est traversé par la Liffey qui le divise en nord et sud. À l'intérieur de la zone centrale, nous avons distingué trois quartiers particuliers et bien précis de nouvelles constructions : Temple Bar, Trinity College et les Quais.

Très encombré, il est préférable de se rendre à pied aux édifices accompagnés de la mention « AUTOBUS/TRAIN centre ville », la diversité de la rue étant de toute façon un des grands charmes de la ville. Le DART (Dublin Area Rapid Transport ou train express) est l'unique liaison ferroviaire qui contourne la baie de Dublin, reliant les faubourgs côtiers du nord et du sud en effleurant le centre ville à l'est. Il suit un itinéraire pittoresque et vaut la peine d'être emprunté ne serait-ce que pour le panorama. Dans les autres quartiers, on se déplacera en autobus ; le service n'est ni meilleur ni pire que dans les autres villes. La voiture de tourisme domine les transports dublinois et les encombrements qui en résultent affectent également le réseau d'autobus. La plupart des lignes partent de Busaras, la gare centrale d'autobus à Custom House Quay (un des plus beaux édifices modernes de la ville, par Michael Scott, terminé en 1950).

Le meilleur plan de la ville, *Dublin City and District Street Guide* publiée par l'Ordnance Survey of Ireland, est trop peu maniable pour le transporter sur soi. Bartholomew publie une *Handy Map of Dublin* joliment pliée, moins détaillée mais suffisante. Pour plus de renseignements sur l'architecture, le Royal Institute of the Architects of Ireland publie le *RIAI Map Guide to the Architecture of Dublin City* (carte-guide de l'architecture de la ville de Dublin de l'Institut Royal des Architectes Irlandais), en vente à sa librairie du 8 Merrion Square, Dublin 2.

Dublin Nord

16 Parc de stationnement de l'aéroport de Dublin

Ce bâtiment à niveaux multiples est un des types d'édifice les plus problématiques car sa fonction offre à l'architecture un fondement au contenu mince, pour ne pas dire inexistant. La solution habituelle est de recourir à l'artifice et de faire comme si c'était un entrepôt ou même un théâtre (voir page 120). La grande réussite de ce nouveau parking est d'être honnête sur sa destination tout en restant élégant et séduisant. Mais on peut soutenir qu'il est toujours travesti — déguisé ici nettement en Style International — bien que la présence de l'aérogare initiale (un authentique classique de 1937 par Desmond Fitzgerald) fournisse un bon contexte à ce choix.

Formant un cercle de hauteur limitée, de 50 mètres de diamètre et 900 mètres de circonférence autour de la zone centrale de stationnement en surface, il intègre dans son schéma directeur la chapelle et les autres bâtiments existants. Avec ses 6 000 places de stationnement, le tout a été conçu pour limiter au maximum la distance entre le parking et l'aérogare. La palette est une ossature de béton armé peinte en blanc et des systèmes de revêtement métallique jusqu'aux niveaux supérieurs, avec les détails en blocs de verre et un passage voûté en berceau indiquant l'entrée de l'aérogare. Le clou est le bâtiment de sortie qui résume les formes et les matériaux utilisés ailleurs, pimentés d'un éclairage accrocheur et de « super-graphismes ».

ADRESSE Aéroport de Dublin
MAÎTRE D'OUVRAGE Aer Rianta
INGÉNIEUR DE STRUCTURE Clifton Scannell Emerson Associates
COÛT £IR 10 millions
AUTOBUS Navette entre la gare centrale d'autobus (Busaras) et l'aéroport de Dublin
ACCÈS libre

Noel Dowley Architects 1991

Parc de stationnement de l'aéroport de Dublin 17

Noel Dowley Architects 1991

The Irish Energy Centre

(Centre irlandais de l'Énergie)

Le Centre irlandais de l'Énergie est un organisme financé par la Communauté Européenne qui favorise l'utilisation efficace de l'énergie et fournit des conseils à ce sujet. Le nouveau siège de cet organisme est manifestement censé illustrer les principes d'une architecture de faible impact et consommant peu d'énergie.

Le nouveau bâtiment est un simple hangar à bureaux sur plan étroit à deux étages, avec un atrium central à toit de verre et un espace de bureaux paysagés. Un bâtiment parallèle abrite les locaux destinés aux services et les espaces de réserve. Des murs de refend en parpaings soutiennent des fermes à contre-fiches en bois et de lourds planchers en béton. Les façades avant et arrière sont remplies avec des éléments légers plaqués de bois. L'atrium central sert de carrefour à la circulation à l'intérieur du centre.

Le bâtiment est orienté nord-sud pour tirer profit du soleil et de la lumière et la lourde construction est solidement isolée pour faire office de réserve thermique. L'étroitesse du plan et la largeur des fenêtres favorisent la pénétration de la lumière du jour et l'aération naturelle. À l'intérieur, la structure peinte en blanc augmente la réverbération.

Le centre est une illustration nette et avantageuse de l'efficacité de principes de création simples qui économisent l'énergie tout en contribuant à rendre l'environnement humain séduisant.

ADRESSE Forbairt Campus, Glasnevin, Dublin 9
MAÎTRE D'OUVRAGE Foras/Forbairt
INGÉNIEUR DE STRUCTURE Ove Arup and Partners
COÛT £IR 500 000
AUTOBUS 13, 19, 34
ACCÈS ne se visite pas

Energy Research Group, School of Architecture UCD 1996

Energy Research Group, School of Architecture UCD 1996

Dublin City University

La Dublin City University, qui a pour origine l'ancien National Institute of Higher Education, est le deuxième établissement important d'enseignement postscolaire de Dublin dont le siège se trouve sur un nouveau campus en dehors de la ville — l'UCD à Bellfield étant l'autre. Arthur Gibney and Partners s'est d'abord engagé à la fin des années 1980 dans un agrandissement du bâtiment initial — Albert College et Henry Grattan Building — qui a entraîné l'élaboration d'un plan directeur pour la transformation du campus entier en université à part entière. Gibney ayant été chargé jusqu'à présent de presque tous les bâtiments, la cohérence des détails et des matériaux est assurée.

Quand on entre sur le site par Collins Avenue, on voit l'arrière des bâtiments en empruntant un itinéraire pédestre qui va du parking à l'axe principal est-ouest, avec l'agrandissement du bâtiment initial Henry Grattan à droite. Ce bâtiment abrite une bibliothèque et des bureaux disposés de part et d'autre d'un passage vitré qui se termine par un pignon totalement vitré donnant sur l'axe central. Le plan initial de l'université prévoyait une mégastructure faite de pavillons proches les uns des autres reliés par une série de galeries vitrées dont l'extension du bâtiment Grattan devait être la première tranche. Le plan était influencé par l'architecture scandinave, notamment l'université de Trondheim par Henning Larsen. Mais cette initiative s'avéra être un faux début car les galeries vitrées, n'étant pas considérées comme des « espaces d'enseignement », ne bénéficièrent d'aucun financement. (L'agrandissement de Bolton Street par Des McMahon devait se heurter aux mêmes problèmes, voir page 70).

En 1991 on renonça donc à la mégastructure pour élaborer un plan directeur plus classique, autour d'un axe linéaire traditionnel sur lequel s'alignent les divers bâtiments. Les bâtiments sociaux sont au sud —

Arthur Gibney and Partners depuis 1991

Arthur Gibney and Partners depuis 1991

centre sportif, centre social, aumônerie et résidences universitaires. Au nord, les bâtiments d'enseignement sont pourvus d'arcades en rez-de-chaussée. Les cours du collège précédent ont également été renforcées par de nouveaux bâtiments et agrandissements. L'allée centrale est bordée d'arbres et de pavillons indépendants abritant des magasins et une banque.

Le campus donne vraiment l'impression d'un « plan directeur à l'œuvre » – des matériaux uniformes ; une hauteur homogène de trois étages ; des arcades au rez-de-chaussée ; un axe rectiligne, facile à prolonger, dont les bâtiments « spéciaux » introduisent une certaine variété ; et des détails à thème comme les rayures de brique bleue dans les cours derrière l'allée principale. Ce sont des bâtiments économiques, souvent construits avec un financement privé et ils sont donc censés être sobres et rentables. Les problèmes de financement ne sont pas le seul point commun au campus et à l'œuvre de Gilroy McMahon – malgré l'abandon du plan directeur initial, l'influence du modernisme scandinave reste très sensible dans la brique d'un brun doux et les châssis de fenêtre en métal de couleur, dont l'accent est souvent mis sur les horizontales. C'est un modernisme discret qui compense l'absence d'intérêt spatial et architectural direct par une planification rationnelle animée de détails subtils comme les panneaux de brique en retrait et la hiérarchie des ouvertures dont les dimensions et l'emplacement révèlent la destination des bâtiments et les voies de circulation. À l'intérieur, les cours vitrées et les lucarnes assurent le bon fonctionnement des bâtiments et leur aération essentiellement naturelle, ce qui augmente le confort des usagers.

Divers bâtiments sont disposés de façon à attirer l'attention. Tout près de l'entrée principale, le Larkin Theatre circulaire occupe un emplacement privilégié. Avec une capacité de 400 places, c'est l'amphithéâtre principal

Arthur Gibney and Partners depuis 1991

de l'université. Le plan en est simple : un tambour circulaire servant de mur-cloison en brique abrite l'auditorium et une galerie enveloppante de briques indique l'entrée. La plupart des grands thèmes architecturaux de l'ensemble du campus sont résumés et présentés avec une grande économie de moyens - la construction de brique, les ouvertures carrées à l'intérieur de baies répétées, les panneaux de brique en retrait et la galerie.

En face du théâtre, de l'autre côté de l'allée, se trouve l'aumônerie, un bâtiment multi-confessionnel avec des espaces pour les offices et pour la prière individuelle. Le bâtiment fait charnière entre la cour d'origine de l'ancien institut et la nouvelle allée, le tambour et l'octogone en saillie assurant la transition. Derrière l'aumônerie, c'est le bâtiment de Recherche et de Développement qui lui aussi exploite sa forme pour façonner l'espace extérieur : il parachève l'espace de la cour d'origine tout en assurant la transition avec l'allée principale grâce à une orientation habile de sa cage d'escalier. La création de l'espace extérieur est le rôle majeur de ces bâtiments qui sacrifient modestement leur propre identité au profit de l'ensemble.

La cohérence de l'œuvre de Gibney se reflète dans le premier bâtiment construit par le cabinet d'architecture pour l'université, qui prouve que le langage du campus était pleinement constitué dès le départ. L'extension de l'Albert College, située derrière le bâtiment de Recherche et de Développement, est à bien des égards la meilleure architecture ici. Elle possède le même vocabulaire que les édifices ultérieurs mais une solidité plus riche dans les détails. Par exemple, l'incision qui délimite la largeur des baies est un véritable renfoncement de brique et non un joint de mastic vertical ; les élévations sont faites entièrement en brique sans le détail de la pierre de couronnement préfabriquée des ouvrages ultérieurs; et les fenêtres, accentuées horizontalement, ont des proportions plus satisfaisantes que les

Arthur Gibney and Partners depuis 1991

ouvertures carrées ultérieures. L'ordre d'arcades à deux niveaux est discrètement suggéré par une fenêtre en très léger retrait et un tympan de brique surmonté d'un linteau bien marqué. La plupart des différences s'expliquent sans doute par des restrictions budgétaires mais quand on regarde ce bâtiment et le côté prometteur de la galerie vitrée de l'extension du bâtiment Henry Grattan, on se demande si l'on n'a pas péché par excès de zèle en renonçant au plan directeur initial.

L'avantage du nouveau plan directeur est l'allée centrale que Gibney a commencé à aménager avec des surfaces simples de gazon, d'eau et de dallage et de longues allées bordées d'arbres. Les pavillons de glace et d'acier abritant les magasins et la banque contrebalancent la massivité de la brique environnante. La simplicité des bâtiments devait se retrouver dans les aménagements paysagers censés être compatibles et durables indépendamment des caprices de la mode. Mais l'université a récemment chargé de nouveaux architectes de redessiner l'espace extérieur et les plans actuels présentent un aspect branché et délirant, en total désaccord avec l'architecture. On aurait pu penser que le paysagisme était par nature dégagé de l'éphémère de la mode. Le résultat ne sera réussi que si l'architecture et le paysage parlent le même langage et unifient l'espace.

ADRESSE Dublin City University, Collins Avenue, Glasnevin, Dublin 9
MAÎTRE D'OUVRAGE Dublin City University (Department of Education)
INGÉNIEUR DE STRUCTURE Ove Arup and Partners
AUTOBUS 11, 11A, 11B, 13, 19A, 36, 36A à partir du centre ville et 103 (ligne périphérique)
ACCÈS campus : libre ; différents bâtiments : uniquement sur rendez-vous

Arthur Gibney and Partners depuis 1991

Dublin Nord

Arthur Gibney and Partners depuis 1991

GAA Stadium

Le stade de Croke Park qui est le foyer des sports typiquement irlandais –le football gaélique et le hurling (*) – est géré par l'Association sportive gaélique (GAA), farouchement chauvine. Les sports sont extrêmement populaires : le All Ireland Final (**) paralyse chaque année le pays tout entier et Croke Park a accueilli des foules de plus de 110 000 spectateurs.

Les changements survenus dans les normes de sécurité plus l'ambition de la GAA d'offrir à ses sports un niveau international, ont abouti à un plan pour la construction d'un stade de 80 000 places. La première tranche, appelée Cusack Stand (tribune Cusack), qui représentait environ un tiers du projet, est achevée.

La tribune doit essentiellement sa théâtralité – extrêmement marquée – à son emplacement en pleine ville, la mégastructure écrasant la rangée de maisons voisines à deux étages. La GAA n'a pas cédé à la tentation de déménager en dehors de la ville, là où les problèmes d'accès, de stationnement et de mesures antibruit auraient été plus faciles à surmonter. Cette décision louable de rester indique que le bâtiment nouveau est imprégné de la tradition, de l'histoire et de l'esprit d'un siècle d'occupation permanente, tout en donnant à la vie future du centre ville le vote de confiance dont elle a grand besoin. Des McMahon est convaincu que les monuments sont nécessaires au sein du tissu urbain et qu'il est important d'exploiter les différences d'échelle comme un outil créatif dans l'esthétique urbaine — outil trop souvent négligé par les planificateurs obsédés par l'harmonie et le contexte.

De l'extérieur, la forme du bâtiment s'articule en trois niveaux : base, milieu et haut. Il sera possible d'évacuer du stade 80 000 personnes en 8 mn : la partie inférieure est donc caractérisée par une série d'escaliers et de rampes prévus à cet effet. Le déploiement des escaliers de béton au niveau du sol enracine le bâtiment dans ce sol, alors que la rampe plus haute et les escaliers surgissent de la base en béton immaculé animé de bandes de céramique.

Gilroy McMahon Architects 1995

323
89 D

Le premier des trois lieux de rassemblement horizontaux derrière la pente des gradins marque le début du « milieu » où l'armature de béton devient presque organique dans l'articulation à mesure qu'elle monte en soutenant les sièges disposés sur cinq niveaux distincts qui avancent en porte-à-faux vers le haut. Sous le cadre de protection se trouvent les lieux d'accueil secondaires : salons, bars et restaurants logés dans une bande aux panneaux bleu foncé qui entoure la partie médiane de l'édifice. Les sièges au-dessus sont habilement rendus par des ondulations de poutres en béton entre les armatures principales.

La section du haut est le triomphe suprême car la construction se transforme en une structure métallique suspendue qui soutient le spectaculaire baldaquin en porte-à-faux abritant les sièges du dessous. Du côté du terrain, les rangées de voûtes alternant entre les bandes de lucarnes qui indiquent l'emplacement de la ferme principale donnent l'impression de tenir toutes seules. De l'extérieur, le réseau d'étais, poteaux et supports peints en gris se combine à l'armature de béton dont il jaillit pour créer une composition éloquente et théâtrale là où l'édifice rejoint le ciel. La tribune est déjà un des symboles les plus caractéristiques du nord de Dublin, rôle qui ne fera que croître à mesure que les tranches suivantes seront réalisées.

(*) NDT : jeu irlandais ressemblant au hockey sur gazon (**) Coupe d'Irlande

ADRESSE Croke Park, Jones's Road, Dublin 3
MAÎTRE D'OUVRAGE Cumann Luthchleas Gael Teoranta, Gaelic Athletics Association
INGÉNIEUR DE STRUCTURE Horgan Lynch and Partners
AUTOBUS 23
ACCÈS seulement les jours de match

Gilroy McMahon Architects 1995

Siège européen de Claris

Les incitations fiscales ont fait de l'Irlande le siège d'élection de nombreuses sociétés d'informatique mondiales, notamment Claris, la branche logiciel d'Apple. Brian O'Halloran a accaparé le marché dans ce siège situé à la lisière de la ville, dont l'accent d'inspiration américaine mis sur l'image, le style et une culture d'entreprise associent le travail et les loisirs.

C'est le siège le plus spectaculaire du groupe, inspiré par des directives demandant un bâtiment contextuel et par une association avec les architectes concepteurs californiens. Pour les entreprises américaines, le « contexte » englobe la totalité de l'histoire et de la culture irlandaises et ne se limite pas à l'harmonisation avec le bâtiment voisin. C'est ainsi que le projet s'inspire des tumuli préhistoriques, des « pyramides profanées », des murs de pierres sèches et des grands places « post-médiévales ». Parmi les matériaux figurent le marbre, la pierre, le béton, le bois dur, l'aluminium, l'acier, le plâtre poli, les parpaings, le verre — rien que dans la zone d'accueil.

Le bâtiment a la forme d'un immeuble rectangulaire à deux étages où sont logés les bureaux et la fabrication, et un bloc pyramidal plus complexe à l'angle sud-est abrite l'entrée et les équipements collectifs. La pyramide descend en pente jusqu'au sol par des murs en forme de coin et des jardinières. L'ensemble est voyant et criard mais possède une énergie et un dynamisme bienvenus dans le cadre habituellement terne d'un parc d'entreprises.

ADRESSE Ballycoolin Business Park, Ballycoolin Road, Blanchardstown, Dublin 15
MAÎTRE D'OUVRAGE Claris (Ireland) Ltd
ARCHITECTE ASSOCIÉ DES Architects and Engineers
INGÉNIEUR DE STRUCTURES Ove Arup and Partners
AUTOBUS 220
ACCÈS accueil ouvert aux heures de bureaux

Brian O'Halloran and Associates 1992

Brian O'Halloran and Associates 1992

Laboratoire

Il date de la période initiale du classicisme régional et il est contemporain du tribunal pour enfants de Smithfield (voir p. 66). Il s'inspire des établissements industriels et agricoles de l'Irlande rurale du XVIIIe siècle, où des groupes de bâtiments simples étaient disposés selon un plan formel. Ici deux hauts toits en croupe évoquant les séchoirs à houblon ou les brasseries indiquent les deux espaces principaux qui exigeaient que l'air soit aspiré à 14 mètres au-dessus du sol. Le mur de la façade principale est articulé de façon à créer une porte d'entrée perpendiculaire à l'axe central principal. Les espaces intérieurs qui progressent d'un extérieur « sale » à des laboratoires « propres » en passant par des zones de changement et de lavage, sont disposés symétriquement de part et d'autre d'un axe central défini par les lucarnes qui sont la marque de fabrique de l'architecte John Tuomey. À l'agencement fonctionnel ont été superposés des traits curieux, presque solennels : un lavabo aux allures de fonts baptismaux occupe théâtralement l'axe principal de la zone de lavage et un escalier au centre de l'élévation postérieure semble important mais ne fait que desservir la salle des chaudières.

Globalement, il établit un lien convaincant entre la tradition, la modernité et l'emplacement. La comparaison avec une réalisation ultérieure comme le Centre National de la Photographie (page 184) montre que l'architecte s'éloigne de ces sources traditionnelles pour évoluer vers un langage personnel plus obscur au sein du modernisme dominant, en laissant une voie de développement féconde et utile inaccomplie, du moins pour l'instant.

ADRESSE State Farm, Abbotstown Estate, Blanchardstown, Co. Dublin
ARCHITECTE RESPONSABLE DU PROJET John Tuomey
COÛT £IR 750 000
AUTOBUS 220
ACCÈS ne se visite pas

Office of Public Works (Bureau des Travaux Publics) 1985

Office of Public Works (Bureau des Travaux Publics) 1985

Le centre ville au nord de la Liffey

Bureau de vente des billets d'Aer Lingus

C'est malheureusement l'unique exemple conservé d'une série d'élégantes boutiques conçues pour la compagnie aérienne nationale irlandaise à Dublin, Manchester, Düsseldorf et Londres (à Dublin des fragments de la boutique de Grafton Street ont toutefois été réutilisés dans un bureau plus récent à St Stephen's Green).

Les éléments des boutiques ont été conçus comme un kit de pièces pouvant s'adapter à différents espaces et emplacements. Une gamme restreinte de matériaux naturels — calcaire et granit, chêne, acier chromé et cuir — permet de délimiter les différentes zones d'activité : entrée, réception et information, présentation des brochures, devanture, salle d'attente et guichets de vente des billets. Outre les matériaux, des tapis faits main aux couleurs vives représentant des paysages créent une note locale bien choisie pour un organisme qui projette l'image du pays à l'étranger. Mais les détails élégants et très discrets brossent une vision contemporaine sophistiquée diamétralement opposée à l'aspect « traditionnel » que l'on voit plus couramment.

L'ensemble sévèrement contrôlé regorge de détails inventifs comme une pendule ailée et le comptoir incurvé qui transforme une colonne indépendante qui autrement semblerait malvenue. Entre la façade sur rue à rayures de pierre et le comptoir de chrome et de verre, plusieurs éléments évoquent l'éclat et l'élégance associés aux années 1930, « âge d'or de l'aviation ».

ADRESSE 41 O'Connell Street, Dublin 1
MAÎTRE D'OUVRAGE Aer Lingus PLC
AUTOBUS/TRAIN centre ville
ACCÈS libre

de Blacam and Meagher Architects 1990

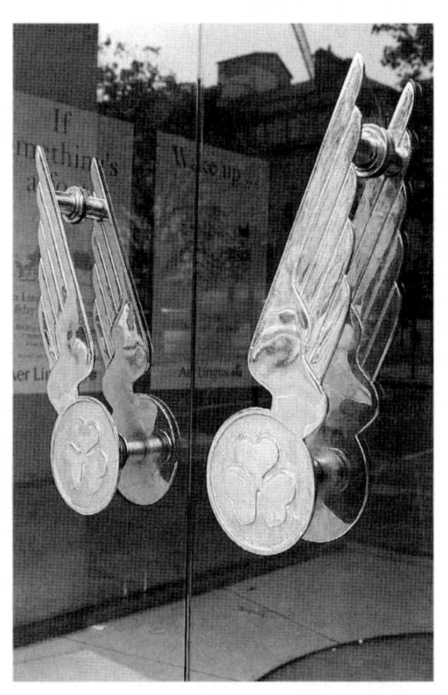

de Blacam and Meagher Architects 1990

Sculpture et fontaine Anna Livia

Avec son allée centrale bordée d'arbres et ponctuée d'une série de statues et de monuments, O'Connell Street est la seule rue de Dublin qui ait l'échelle et l'allure d'un boulevard. La dernière nouveauté est connue de tous sous le nom de « Floosie dans le jacuzzi ». C'est une fontaine construite dans le cadre de la célébration du millénaire de Dublin en 1988 — un an de festivités que n'a absolument pas gêné une histoire qui, d'après les documents, remonte à l'an 140 de notre ère.

Le personnage central de bronze d'Anna Livia, qui est la personnification de la Liffey, est bien connu dans le folklore local. Dans « *La veillée de Finnegan* », James Joyce l'appelle « vieille skeowsha bizarre ». Le format nettement horizontal symbolise le parcours du fleuve qui prend sa source dans la montagne et traverse la ville avant de se jeter dans la mer. L'artiste a voulu créer une sculpture populaire s'opposant à ses voisins historiques qui sont tous, selon ses propres termes, « verticaux, politiques, pompeux et masculins ».

O'Doherty, le sculpteur municipal le plus prolifique d'Irlande, expose aux quatre coins du pays. Les autres exemples à Dublin sont le Crann An Oir (arbre d'or) devant la Central Bank dans Dame Street, Temple Bar ; Gaoth Na Saile (vent de sel) devant le terminal des ferries de Dun Laoghaire (page 260) ; et une sculpture cinétique mue par le vent qui surplombe la baie de Dublin au carrefour de Clontarf Road et de Fairview Road, Marino.

ADRESSE O'Connell Street, Dublin 1
MAÎTRE D'OUVRAGE Smurfit Group/Dublin City Corporation
PROJETEUR Varming Mulcahy Reilly Associates
COÛT £IR 200 000
AUTOBUS/TRAIN centre ville
ACCÈS libre

Eamonn O'Doherty 1988

Eamonn O'Doherty 1988

Travellers'Centre
(Centre des voyageurs)

Comment donner une identité nouvelle à une église du début du XIXe siècle ? Le problème a été résolu ici par référence aux personnes à qui elle s'adresse. La transformation en centre pour les voyageurs implique que les nouvelles interventions doivent être elles aussi passagères et susceptibles de déménager à l'avenir.

L'intérieur de l'église, pourvue de tribunes sur trois côtés, est resté intact et des bancs d'église ont été encastrés dans les tribunes pour créer un premier étage. Dans le vide central, on a placé une énorme caravane de gitans en tôle ondulée, posée sur des pieds et peinte en rouge vif. On y accède en passant par le deuxième objet rapporté, bien distinct, une tour d'escalier plaquée de fer blanc argenté. La nouvelle salle rouge, qui est en fait un bâtiment dans un bâtiment, offre une bibliothèque et une salle de travail tout en divisant l'espace environnant en zones utilement définies.

Les dessins d'origine montrent un vide aménagé dans le sol tout autour du périmètre de la nouvelle pièce pour exprimer son indépendance totale. Ce vide n'a malheureusement pas été réalisé, sans doute à cause des règlements en cas d'incendie, ce qui compromet l'intégrité de l'idée d'origine.

ADRESSE Free Church, Great Charles Street, Dublin 1
MAÎTRE D'OUVRAGE Dublin Travellers'Education and Development Group
INGÉNIEUR DE STRUCTURE Pearse Associates
COÛT £IR 300 000
AUTOBUS 22, 41A, 41B, 51A ; DART Connolly Station
ACCÈS sur rendez-vous

McCullough and Mulvin Architects 1991

Le centre ville au nord de la Liffey

McCullough and Mulvin Architects 1991

Portique de l'Abbey Theatre

L'Abbey Theatre, le théâtre national irlandais, est l'une des grandes œuvres de Michael Scott, architecte irlandais influent du xxe siècle, père fondateur du cabinet Scott Tallon Walker. Il s'agissait avant d'une construction extrêmement froide à la Mies van der Rohe avec peu ou pas d'articulation extérieure. À l'intérieur, les équipements liés aux relations publiques, dissimulés par la façade massive, étaient privés de la lumière du jour mais aussi de la présence de la rue. La proposition d'y remédier formulée en 1991 fit sensation : on envisageait de construire un nouveau portique pour rehausser la présence de l'entrée, agrandir les salons et les rendre visibles de la rue. La bataille commença entre ceux qui considéraient l'édifice comme une œuvre d'art immuable et ceux pour qui le changement était un processus naturel intensifiant sans cesse la richesse et l'identité de l'aventure urbaine. Les architectes soutenaient le deuxième camp. Dans son ouvrage *Palimpsest — Change in the Irish Building Tradition*, Niall McCullough traite précisément l'adaptation et la réutilisation des bâtiments existants.

Le portique, conçu comme un édifice à part entière, juxtaposé au bâtiment d'origine, est prévu d'être relié à une rue transformée en zone piétonnière avec un nouvel aménagement paysager en dur ; ce n'est malheureusement pas encore réalisé. Malgré son indépendance affirmée, il reprend scrupuleusement le motif de travée du bâtiment d'origine et met en évidence les courants classiques de l'œuvre d'origine.

ADRESSE Lower Marlborough Street, Dublin 1
MAÎTRE D'OUVRAGE National Theatre Society Ltd
INGÉNIEUR DE STRUCTURE Joseph McCullough and Partners
COÛT £IR 500 000
AUTOBUS/TRAIN centre ville
ACCÈS libre

McCullough and Mulvin Architects 1991

International Financial Services Centre

(centre international de services financiers)

À l'instar de nombreuses villes d'Europe pendant la flambée des années 1980, on s'aperçut que Dublin avait besoin d'un nouveau quartier financier pour abriter les banques et les établissements financiers internationaux dont on espérait qu'ils apporteraient à Dublin une partie des affaires traitées à Francfort ou dans la City de Londres. Ce concept s'ajouta au fait qu'il était également nécessaire de réhabiliter le quartier délabré post-industriel des docks. Les deux nécessités se rejoignirent dans un concours organisé en 1987 pour la réhabilitation des docks de North Wall à l'est de Custom House, avec la Liffey au sud et les bad lands urbaines de Sheriff Street au nord et à l'est. Le terrain qui représente au total 11 hectares environ comportait des bâtiments historiques, des carcasses de docks et beaucoup d'édifices délabrés.

Le concours fut remporté par Burke-Kennedy Doyle, un des plus grands cabinets d'architecture d'Irlande, en association avec les architectes américains de Benjamin Thompson, célèbres pour leur rénovation des docks de Boston. La première tranche, qui donne sur Custom House Square, fut réalisée à une vitesse prodigieuse et terminée en 1990. Les travaux ont repris en 1996 et la plupart des bâtiments restants sont aujourd'hui soit en cours de construction soit sur le point de l'être. Le résultat final sera une série de bâtiments nouveaux et restaurés abritant bureaux, logements, boutiques, hôtels et équipements de loisirs. C'est le plus grand aménagement commercial de Dublin et le premier cas, depuis la tour de Liberty Hall (1964) de l'autre côté de Custom House Square, où les pressions de la spéculation immobilière dominante se sont fortement exercées sur le centre ville.

La façade du site qui donne sur Custom House Square était extrêmement délicate car elle fait face à deux des plus importantes architectures de la ville :

Burke-Kennedy Doyle ; Benjamin Thompson and Associates 1990

Burke-Kennedy Doyle ; Benjamin Thompson and Associates 1990

Custom House construit en 1791 par James Gandon et Busaras érigé en 1950 par Michael Scott. Les nouveaux bâtiments sont un exercice pur et simple de création commerciale destiné à impressionner une entreprise cliente. Les premiers bâtiments sont bien détaillés, avec des matériaux et des finitions de qualité supérieure, qui utilisent abondamment le verre teinté vert et les revêtements de pierre aux arcades du rez-de-chaussée. Leur rôle et leur situation dans le paysage urbain de Dublin sont moins certains : la nouvelle façade convexe s'impose insolemment aux bâtiments existants comme pour attirer l'attention. La possibilité de réaliser une forme convexe qui réponde à la courbe de la rue et qui serve de toile de fond à Custom House a été écartée au profit d'une disposition symétrique des bâtiments qui semble artificielle sur un site caractérisé par une asymétrie naturelle.

À l'intérieur du site, la même approche maladroite s'applique aux différents immeubles de bureaux spéculatifs — de conception solide mais nullement exceptionnelle — disposés tout autour. Ces bâtiments orthogonaux et indépendants face aux rues sont tous autonomes et repliés sur eux-mêmes — avec un environnement intérieur climatisé et hermétiquement clos, et souvent leur propre atrium ou cour centrale — mais ils ne font aucun effort pour contribuer à l'aménagement des lieux au-delà de la symétrie avec les constructions d'origine des docks. Ayant visité le centre un jour traditionnel de pluie et de vent, nous avons constaté que l'environnement extérieur n'offre aucun abri ni aire de repos, les bâtiments élevés et les étendues d'eau à ciel ouvert créant un microclimat impitoyable. Peut-être faudrait-il attendre l'achèvement du chantier pour porter un jugement définitif. La transformation de l'entrepôt Stack A (par Michael Collins and Associates), un bâtiment d'échelle héroïque, est sur le point de commencer et le Jury's Hotel, également par BKD, vient juste

d'être terminé. Ces deux édifices vont attirer sur le site les visiteurs et les activités de loisirs. Les aménagements paysagers sont eux aussi inachevés, même si l'usage abondant des « Euro-bollards » et l'installation d'autres « antiquités » victoriennes omniprésentes fabriquées en série ne parviennent pas à égaler l'échelle et la robustesse des vestiges conservés des docks. À l'arrière du site, les logements sont groupés autour de l'arrière-bassin, soigneusement séparés dans leur propre secteur pour ne pas compliquer les dispositions prises pour la location des immeubles de bureaux.

Il ne faut pas sous-estimer les problèmes que pose la conception de plans urbains réussis pour ce genre de mise en valeur — il suffit d'évoquer la catastrophe des docks de Londres. Comme il s'agit ici d'une zone à régime préférentiel, il n'était pas nécessaire d'obtenir un permis de construire par la filière habituelle et l'équipe de conception menée par le promoteur aurait eu à subir une pression immense pour présenter un plan conventionnel à risque faible, familier aux entreprises multinationales aux quatre coins du monde. Il n'est donc pas étonnant que la zone présente un aspect hybride, ni européen ni américain qui tranche sur le panorama dublinois.

ADRESSE Custom House Quay, Dublin 1
MAÎTRE D'OUVRAGE Custom House Docks Development Company Ltd
INGÉNIEUR DE STRUCTURE Ove Arup and Partners
COÛT £IR 300 millions, à l'achèvement
AUTOBUS près de Busaras
DART Connolly Station
ACCÈS zone générale : entrée libre ; bâtiments : sur rendez-vous

Burke-Kennedy Doyle ; Benjamin Thompson and Associates 1990

Burke-Kennedy Doyle; Benjamin Thompson and Associates 1990

Bureaux Stack B

Ce bâtiment pourrait facilement échapper à un coup d'œil jeté le long du quai mais sa généalogie est évidente dans les détails simples mais sophistiqués. C'est un immeuble de bureaux spéculatif qui fait partie du gigantesque aménagement du dock environnant de Custom House. Son allure très étrange est due à la réutilisation partielle d'un entrepôt du XVIIIe siècle. Les nouvelles façades, principale et occidentale, sont un exercice sur le thème du parapet en briquetage à la Kahn — sans les arches — dont le toit est supprimé. Un réseau de petites fenêtres profondément encastrées bordées de granite sur le haut, l'appui est contrebalancé par quelques ouvertures plus grandes dont les châssis sont alignés sur le mur extérieur. Une baie recouverte de plomb fait saillie dans une ouverture haute de trois étages tandis qu'un vitrage en renfoncement et à ras, au-dessus et au-dessous, accentue le jeu des plans. L'interaction des ombres sur les fenêtres profondément encastrées et leurs petits-bois asymétriques donnent vie et dynamisme à la façade. Les mêmes jeux sont repris sur l'élévation latérale où la porte d'entrée est minimisée à l'intérieur d'une ouverture haute de deux étages.

À l'arrière, il est dominé par le toit avec de grandes surfaces vitrées et le mur de l'entrepôt conservé. La différence saisissante entre les façades avant et arrière a fait l'objet de maints commentaires. On peut interpréter l'avant comme rattaché au fleuve et à la ville au-delà, tandis que l'arrière est plus proche du cadre historique des docks. En raison de cette double approche contextuelle, un tout petit bâtiment doit lutter pour conserver son intégrité.

ADRESSE Custom House Quay, Dublin 1
MAÎTRE D'OUVRAGE M. D. O'Brien
COÛT £IR 3 millions
AUTOBUS près de Busaras ; DART Connolly Station
ACCÈS avec l'autorisation des usagers des bureaux

de Blacam and Meagher Architects 1996

Le centre ville au nord de la Liffey

de Blacam and Meagher Architects 1996

La transformation de Black Church
(l'église noire)

Cette église est dite « noire » à cause de la couleur que prend sous la pluie le calp, pierre dont elle est faite. Le bâtiment d'origine a été conçu en 1830 par John Semple et sécularisé en 1962. Depuis, abandonné dans un des quartiers les plus déshérités du centre ville, il a connu des hauts et des bas. À une époque, ce fut une imprimerie — les Black Church Print Studios éponymes se trouvent maintenant à Temple Bar (voir page 156) — à une autre époque, ce fut une véritable ruche de contractuels. Les occupants actuels ont acheté en 1990 l'édifice classé monument historique et ils ont transformé la carcasse en bureaux.

L'église d'origine est remarquable pour plusieurs raisons, notamment en tant que rare éclosion de gothique expressionniste dans une ville à dominante classique. Son principal titre de gloire à l'intérieur est la voûte de pierre parabolique, peu courante et théâtrale, dont le profil est souligné par les rangées de fenêtres en ogive qui suivent la courbe des murs. La transformation en bureaux a été habilement réalisée avec des mezzanines métalliques légères et un espace non cloisonné qui ne fausse pas la perception de l'espace d'origine. Tous les ouvrages nouveaux sont clairement exprimés comme étant des ajouts modernes au volume historique et le grand vide central permet de « lire » clairement l'espace et la voûte.

ADRESSE St Mary's Place, Dublin 1
MAÎTRE D'OUVRAGE Penco Insurances et MGM Financial Services
INGÉNIEUR DE STRUCTURE Eamon Doyle Associates
COÛT £IR 350 000
AUTOBUS 11, 13
ACCÈS sur rendez-vous

Dermot P Healy and Associates 1992

Dermot P Healy and Associates 1992

Point Depot National Exhibition Centre

(Centre national des expositions de Point Depot)

Le National Exhibition Centre a été créé à partir d'un entrepôt construit en 1878. Il se divise en deux parties : un immense hangar à armature de fonte de 10 000 m² à l'arrière et un bâtiment de façade conventionnel en bordure du fleuve. Ce dernier, qui est une bande de 8 m de large avec une élévation à arcades de brique et de pierre, a été conçu pour être traversé par les trains se rendant au hangar de derrière. En 1988 cette transformation était un acte de foi dans un quartier considéré comme trop isolé du centre ville. L'arrivée du pont à péage Eastlink à l'est de la ville et l'influence croissante du Centre International de Services Financiers (voir page 46) ont largement justifié le courage du promoteur, de même que le succès et la réputation croissante du lieu même.

Les secteurs avant et arrière sont conçus (par des architectes différents) pour fonctionner indépendamment du hall principal dont l'entrée est située séparément au nord. Ce hall est aménagé dans trois hangars d'origine rectilignes et contigus. Pour les transformer en un espace dégagé, on a ajouté au toit des poutres de construction de 55 m de long et 3,5 m de haut qui sont sûrement les plus grosses jamais mises en place en Irlande. Les murs extérieurs principaux en calcaire, qui reprennent le thème du bâtiment de façade, ont été conservés et l'allure industrielle du bâtiment d'origine préservée quand c'était possible.

Le bâtiment qui donne sur la Liffey au sud est celui dont l'architecture est la plus intéressante : les nouveaux ouvrages y sont traités comme des encarts dans les espaces existants. Bien qu'ils soient clairement neufs et différents, ils sont toujours compatibles, la construction métallique apparente et les gros détails renvoyant aux poutres d'origine en fer riveté et aux robustes matériaux de brique et de pierre. Le rez-de-chaussée conserve les baies d'origine hautes de 8 m par lesquelles les trains

Shay Cleary Architects/Stephen Tierney and Associates 1988

Shay Cleary Architects/Stephen Tierney and Associates 1988

traversaient le bâtiment et ressortaient par l'arcade de la façade. Ces baies ont servi à créer des mezzanines pour les deux bars de part et d'autre du vestibule central menant au hall principal. Non seulement ces mezzanines relient les bars mais elles tournent habilement les restrictions sur la vente d'alcool s'appliquant au vestibule d'entrée.

Au niveau du premier étage, un restaurant accessible par un escalier assez sombre partant du vestibule central occupe toute la largeur avec ses salles en enfilade desservies par un bar central. L'espace est pénétré par la merveilleuse lumière de Dublin dont la limpidité est rehaussée par la proximité du fleuve. Une longue rangée de hautes fenêtres identiques jette des taches vives sur le sol, tandis que les surfaces dures et les grands espaces dépouillés font penser à un tableau de Vermeer. Le choix des matériaux complète cette qualité avec beaucoup de délicatesse, que ce soit au restaurant ou aux bars où l'acier inoxydable brillant et les formes prismatiques marquées créent une atmosphère de métropole bourdonnante.

ADRESSE Point Depot, North Wall, Dublin 1
MAÎTRE D'OUVRAGE Henry Crosbie
ARCHITECTE restaurants et bars, Shay Cleary Architects ; salle de concert, Stephen Tierney and Associates
INGÉNIEUR DE STRUCTURE Colquhoun and Partners
AUTOBUS 53A
ACCÈS bar et restaurants : entrée libre ; salle principale ouverte seulement pour les manifestations

Shay Cleary Architects/Stephen Tierney and Associates 1988

Centre de la National League for the Blind

(Ligue nationale pour les non-voyants)

Le quartier de Gardiner Street et Mountjoy Square, devenu le plus délabré de tout le centre de Dublin, était un des plus en vogue et a beaucoup souffert de la division nord-sud de la ville ; le sud étant aménagé en centre d'affaires pour les classes moyennes et le nord livré à la misère et à l'abandon. Le processus s'inverse lentement et de nouveaux lotissements surgissent parmi les ruines. Récemment, les vestiges et les lambeaux de Gardiner Street Lower ont été partiellement réintégrés dans un épouvantable programme d'appartements pseudo-géorgiens mais, dans le haut de la rue, des lotissements publics plus audacieux réalisés par la National Building Agency apparaissent sur les parcelles urbaines inoccupées autour du carrefour avec Séan MacDermott Street Upper. Ces lotissements soignés de quatre étages sont animés par des détails expressifs de brique qui évoquent l'École d'Amsterdam.

Derrière Mountjoy Square, le nouveau centre de la NLB ressemble à une forteresse de brique face à la menace du vandalisme. Son élévation principale évoque avec nostalgie le réalisme de la construction dans cet environnement rude : une « entaille » stylisée, singulièrement vivante, pratiquée dans l'enveloppe uniforme de brique, laisse voir à l'arrière un bâtiment aux murs-rideaux de verre, qui révèle le désir de réaliser une caisse à la Mies van der Rohe, tempéré par la réalité du site et aboutissant à une métaphore pour un bâtiment qu'utilisent principalement les non-voyants.

ADRESSE Hill Street/Gardiner Place, Dublin 1
MAÎTRE D'OUVRAGE National League for the Blind
INGÉNIEUR DE STRUCTURE John McShane
COÛT £IR 450 000
AUTOBUS 40A, 40B, 41A, 41B, 41C ; DART Connolly Station
ACCÈS limité

E N Smith and Kennedy Architects 1994

E N Smith and Kennedy Architects 1994

Bureaux

Bien que ce bâtiment n'ait que sept ans d'âge, il fait un peu figure d'objet de musée car il reflète une époque où Dublin mettait l'accent sur l'élaboration d'un style urbain classique moderne fondé sur des précédents géorgiens. À l'époque de sa construction, les quais étaient dans un terrible état d'abandon après des années de dégradation provoqué par le projet d'élargissement de la voie longeant la Liffey (voir page 82). Ce bâtiment fut l'un des premiers exemples de réponse contextuelle discrète à la réfection du tissu urbain anéanti, approche qui est aujourd'hui quasi universellement approuvée. Ce fut aussi l'un des premiers exemples de ce qui est devenu depuis l'architecture moderne typique de Dublin : le vocabulaire classique avec socle, étage noble, corniche et attique.

Il restait au rez-de-chaussée la façade gothique de granite de l'église presbytérienne qui avait précédemment occupé le site et elle a été conservée comme socle de la nouvelle façade. Les ruines sont enveloppées par les nouveaux éléments, conçus pour s'harmoniser avec la banque voisine. Un fragment de motif blanc marin dans le Style International persiste par esprit de contradiction au centre de la façade, comme si les architectes avaient beaucoup de mal à réfréner leur soif de modernité.

Les travaux plus récents des mêmes architectes, dans des cadres tout aussi historiques — l'agrandissement du Parsons Building à Trinity par exemple (page 234) — adoptent une approche beaucoup plus contemporaine : peut-être le retour au passé s'est-il avéré être une impasse.

ADRESSE Ormond Quay, Dublin 1
INGÉNIEUR DE STRUCTURE Thomas Garland and Partners
AUTOBUS 51, 51B
ACCÈS ne se visite pas

Grafton Architects 1989

Grafton Architects 1989

64

Siège de l'Irish Distillers Group

(Groupe des distilleurs irlandais)

Le siège social de l'Irish Distillers Group, fabricant du whisky Jameson and Powers, est un des premiers exemples importants de préservation et de rénovation urbaine. À l'époque, ce genre de siège était situé en dehors de la ville ou en banlieue, dans un bâtiment conçu à cet effet. Irish Distillers a préféré construire à côté de la vieille distillerie Jameson à Smithfield, dans un des quartiers les plus délabrés de la rive nord de la Liffey. Le client tenait aussi à ce que les nouvelles constructions prévoient la préservation et la transformation de deux beaux entrepôts qui se trouvaient sur le site et qu'elles répondent positivement au contexte dégradé mais historique.

Cet acte de foi a été récompensé par un plan répondant subtilement aux exigences visuelles du dossier. L'entrée principale, sur le retour du bâtiment en forme de L, fait face à une cour fraîchement aménagée entourée de grilles et donnant sur Smithfield Square. Les murs de pierre ont été modernisés par des groupes d'ouvertures bordées de pierre taillée et par des fenêtres en oriel contemporaines en saillie. L'entrée, logée dans un mur-rideau en éventail inséré, évoque Alvar Aalto par sa forme. Les élévations postérieures s'adaptent agréablement au canyon spectaculaire que forme Bow Street et utilisent les murs de pierre des anciens bâtiments comme intermédiaires entre la distillerie et la vieille église de St Michan.

Le site voisin, aujourd'hui abandonné, doit être réhabilité lors d'un projet à usage mixte de grande envergure par A + D Wejchert.

ADRESSE Bow Street, Dublin 7
MAÎTRE D'OUVRAGE Irish Distillers Group
INGÉNIEUR DE STRUCTURE Rooney McLoughlin Associates
COÛT £IR 2 millions
ACCÈS ne se visite pas

Brian O'Halloran and Associates 1979

Brian O'Halloran and Associates 1979

Le tribunal pour enfants

Le tribunal pour enfants a été la première construction importante du groupe néo-rationaliste de l'UCD. Rentré à Dublin après quatre ans passés auprès de James Stirling à Londres, John Tuomey a réalisé ce projet quand il travaillait pour l'OPW (office des travaux publics). Le plan a été conçu pour illustrer la rénovation urbaine contextuelle et comme expression architecturale d'un organisme municipal.

Le nouveau bâtiment reprend la hauteur du parapet existant et reconstruit l'angle du complexe de la vieille distillerie Jameson. En respectant cette restriction générale, l'édifice est articulé de façon à révéler sa propre destination et son agencement interne. L'entrée principale s'ouvre sur un escalier central qui monte aux salles d'audience jumelles, articulées elles-mêmes en volumes distincts sur la façade latérale. Les principaux espaces intérieurs sont rigoureusement formels et processionnels et l'ensemble du projet est imprégné du néo-classicisme irlandais inhérent à la sensibilisation croissante au contexte.

On a beaucoup discuté de l'adéquation de cette architecture à un tribunal pour enfants. Le formalisme du bâtiment a souvent été perçu comme le symbole d'un retour à des temps moins humanitaires — et la ressemblance malencontreuse entre le baldaquin vitré au niveau du toit et une potence n'est pas passée inaperçue. L'architecte a peut-être exagéré le cas en s'efforçant de rendre la gravité du bâtiment et son rôle de « monument » urbain.

ADRESSE Smithfield, Dublin 1
MAÎTRE D'OUVRAGE Office of Public Works
ARCHITECTE RESPONSABLE DU PROJET John Tuomey
INGÉNIEUR DE STRUCTURE Donald Keogan Associates
COÛT £IR 1,4 million
ACCÈS libre dans les espaces publics

Office of Public Works 1987

Office of Public Works 1987

Refuge de Stanhope Street

Les associations pour le logement jouent à Dublin un rôle restreint mais croissant dans le secteur des logements sociaux. Cet exemple ancien propose des maisons pour familles et des appartements pour célibataires étroitement liés à l'intérieur et autour d'un couvent existant. Construit avec un budget dérisoire sur un site limité de toutes parts, le projet parvient toutefois à utiliser un répertoire d'éléments de création urbaine pour reproduire un quartier cohérent.

Une fois passé le portail du couvent existant, on entre dans l'espace d'arrivée de Stanhope Green, avec l'ancien couvent à droite et une simple rangée de maisons de famille mitoyennes à gauche, disposées en oblique pour offrir une vue sur le nouveau couvent (par des architectes différents, moins intéressés par l'espace urbain). Les nouveaux logements font écho aux rangées de petites maisons locales mais ils sont recouverts par des arcades rythmées qui dénotent un penchant rationaliste.

En traversant le bâtiment du couvent, on arrive à un autre espace, plus privé, qui abrite les appartements pour célibataires et les ateliers. Cette cour est une place publique en miniature, dont la froideur va à l'encontre de la petite échelle. Des arcades bordent les deux longs côtés, l'intervalle entre les colonnes se reflète sur le dallage et l'élévation de l'extrémité présente une asymétrie étudiée. Les matériaux et les éléments de construction ordinaires s'élèvent au-dessus de la banalité grâce à une attention particulière et à l'ambition de rendre le tout supérieur à la somme des parties.

ADRESSE Stanhope Street, donnant dans Grangegorman Lower, Dublin 1
MAÎTRE D'OUVRAGE Focus Housing Association
INGÉNIEUR DE STRUCTURE Fearon O'Neill Rooney
ACCÈS à Stanhope Green ; ailleurs, sur rendez-vous

Gerry Cahill Architects 1991

Le centre ville au nord de la Liffey

Gerry Cahill Architects 1991

Agrandissement du Collège Technique

« Bolton Street » est l'une des deux écoles d'architecture de Dublin ; elle assure également un enseignement dans une gamme étendue de disciplines professionnelles et commerciales. Le bâtiment d'origine, un ancien hôtel, possède un plan simple à cour avec des voies de circulation en « piste » aux différents niveaux. La tâche assignée pour l'agrandissement consistait à créer 8 000 m² d'espaces supplémentaires destinés à différents usages : conférences, séminaires, ateliers, bureaux et bibliothèque. Alors, il fallait substituer à l'impression générale froide et formelle de l'ancien collège un sentiment d'ouverture, réceptif au lieu et à la communauté, favorisant les rencontres entre les différentes disciplines et les échanges profitables des idées.

L'ouvrage posait d'énormes problèmes — notamment le raccordement avec le bâtiment existant à sept niveaux différents, l'incorporation des carcasses des bâtiments existants et l'espace restreint du site. Les démarches consistèrent à créer une nouvelle entrée pour l'ensemble du collège (sur Kings Inns Street), une cour centrale paysagée et un nouvel espace social intérieur enveloppant les côtés sud et est de la cour. La nouvelle entrée et l'espace social se raccordent directement aux couloirs de « piste » du bâtiment existant, soudant l'ancien et le neuf. Les espaces plus vastes — bibliothèque, cantine et salle de cours principale — ont ensuite été disposés dans les zones derrière l'espace social où des puits de lumière traversent toute l'épaisseur du plan.

La réussite du projet réside dans la transformation du collège grâce à la nouvelle cour et à l'espace social. Comme le financement ne peut être affecté qu'aux « espaces d'enseignement », il a fallu payer ces deux éléments (considérés comme des zones improductives) avec des fonds pris sur le budget de la circulation. La réussite de Bolton Street n'est donc pas uniquement architecturale — les espaces principaux ont été en fait un avantage « gratuit ».

L'espace social est orienté au nord avec un énorme toit en pente, haut de trois étages, qui monte jusqu'à la bande vitrée du niveau supérieur. Ainsi la

Gilroy McMahon Architects 1986

lumière naturelle entre d'un bout à l'autre du plafond et anime une zone potentiellement privée de soleil. Les voies de circulation, sur les balcons autour du périmètre, traversent toutes cet espace qui devient un critère quand on se déplace dans le bâtiment, car il donne une orientation et une direction à un plan complexe. On a moins conscience de la cour : peu de couloirs la surplombent et le grand toit de l'espace principal bouche la vue. Ce toit est un avantage incertain à plusieurs égards — bien qu'il soit une formule spatiale puissante vu du rez-de-chaussée, il devient gênant vu de plus haut. Les motifs dessinés par le soleil sur toute sa surface sont toutefois une des images permanentes de l'édifice.

L'introduction de la lumière du jour est partout évidente et le choix des peintures agit souvent de concert. Une technique scandinave utilisant la peinture avec des intensités progressives a été employée dans la plupart des espaces publics et des ateliers pour accroître la sensibilisation à la lumière du soleil.

À l'extérieur, les briques chaudes, l'horizontalité accentuée et les fenêtres d'aluminium alignées sur le mur extérieur reflètent la passion permanente de Des McMahon pour le modernisme scandinave. Les fenêtres présentent des dimensions et des styles variés qui révèlent la fonction des espaces intérieurs.

Le bâtiment s'est vu décerner pour 1986-1988 la Médaille d'Or Triennale, plus haute distinction honorifique en architecture en Irlande.

ADRESSE Bolton Street College of Technology, Bolton Street/Kings Inns Street, Dublin 1
MAÎTRE D'OUVRAGE City of Dublin Vocational Education Committee
INGÉNIEUR DE STRUCTURE Ove Arup and Partners
COÛT £IR 7,5 millions
AUTOBUS 11, 11A, 11B, 16, 16A, 36, 36A
ACCÈS libre

Le centre ville au nord de la Liffey

Gilroy McMahon Architects 1986

National Museum of Ireland : Collin's Barracks

(Musée national d'Irlande : caserne Collin)

Construite en 1701 en tant que caserne royale sur les plans de Thomas Burgh (voir aussi page 96), c'est la plus vieille caserne au monde qui ait été occupée sans interruption. Pour des raisons de sécurité, les espaces intérieurs ont toujours été fermés au public et ils sont même absents des cartes mais le secteur a été évacué par l'armée et il doit accueillir le musée national d'Irlande qui va quitter son emplacement actuel de Merrion Square. Cette opération constitue la première tranche et les installations du musée continueront à s'étendre à mesure que l'armée libérera peu à peu la totalité du site.

La levée du dispositif de sécurité a révélé l'un des plus beaux espaces urbains de Dublin. Le complexe a été initialement construit en trois places régulières alignées sur un terrain surélevé au nord de la Liffey. La place centrale a été démolie il y a quelque temps mais Clarke Square, à l'est, est demeuré étonnamment intact, avec quatre rangées de casernes austères en granite entourant une vaste cour des manœuvres. Cette place est percée d'entrées centrales aux arcs bas, signalées par des baies en saillie surmontées d'un fronton. La moitié occidentale de la place, qui possède une arcade basse au niveau du rez-de-chaussée, constitue la première tranche de la reconversion en musée. Les angles de la place avaient été démolis pour l'aération lors d'une épidémie de fièvre dans le passé ; les angles sud sont aujourd'hui rétablis avec de nouveaux murs vitrés abritant des points de circulation verticaux. Ces interventions discrètes sont les seuls signes extérieurs manifestes de la nouvelle transformation, les façades de la cour s'intégrant mieux que les murs extérieurs plus abstraits, en forme d'écran japonais translucide.

L'entrée au musée se fait par l'arche occidentale qui sera tôt ou tard reliée aux parkings et à l'approche principale en venant du site initial de

Gilroy McMahon Architects 1996

Gilroy McMahon Architects 1996

Royal Square. Des portes vitrées dans l'arcade s'ouvrent sur un vestibule de grande hauteur sous plafond qui présente le langage de la nouvelle transformation. Les bâtiments préexistants comportent une série de salles communicantes sans couloirs, schéma qui a été maintenu dans les nouveaux ouvrages : la circulation autour de la place emprunte une série d'intérieurs hauts de un ou deux niveaux, formés à partir des espaces d'origine.

Quand c'était possible, on a conservé des témoignages de l'ancienne utilisation du bâtiment, de sorte que les surfaces anciennes détériorées restent éloquentes sur leur vie passée. Les nouveaux ouvrages recouvrent les anciens et possèdent leur propre identité contemporaine. L'utilisation de matériaux robustes, texturés et bruts comme le plâtre poli, le chêne, le granite et même les plafonds suspendus utilitaires, instaure un dialogue entre l'ancien et le nouveau, qui s'expliquent et se complètent mutuellement. Les nouveaux ouvrages ont une qualité tactile alliée à une précision de pensée, parfaitement appropriée à la nature et à l'esprit des vieux bâtiments et qui résonne infiniment mieux qu'un projet plus correct historiquement, plus « en harmonie » avec l'environnement.

ADRESSE Benburb Street, Dublin 1
MAÎTRE D'OUVRAGE Ministère de l'Art et de la Culture
ARCHITECTES ASSOCIÉS Office of Public Works
INGÉNIEUR DE STRUCTURE Lee McCullough and Partners
COÛT £IR 8,3 millions
AUTOBUS 25, 25A, 26, 37, 39, 51, 51B, 70, 70X
ACCÈS libre

Gilroy McMahon Architects 1996

Gilroy McMahon Architects 1996

Centre d'accueil de Phoenix Park

Le bâtiment d'origine a longtemps servi de résidence au nonce. Il fut démoli à la fin des années 1970, pour ne laisser que les écuries et une tour de la fin du XVIe siècle, découverte pendant les démolitions. Le plan au sol de la maison principale est maintenant tracé par des haies autour du château

Plus grand parc urbain d'Europe, il a été élaboré en ajoutant aux écuries des éléments renforcant les bords de la cour d'origine. Le thème de la cour de ferme est source d'inspiration de toutes les nouvelles constructions. L'entrée se fait par le vieux porche en venant du château. À gauche, la cour complétée par le nouveau café, ressemble à une construction de maçonnerie. À l'intérieur il s'avère être un bâtiment léger, revêtu de bois de charpente dont le toit incurvé renvoie à ces granges à armature métallique omniprésentes. En face du café, dans l'axe de la cour, se trouve le centre d'accueil principal où l'on entre par l'arche vitrée du bâtiment existant. À l'arrière, un bloc rectiligne séparé de l'ancien bâtiment par un passage couvert vitré est la principale intervention architecturale. Il met en contraste la construction légère et les courbes et les bâtiments plus anciens. Extérieurement, les nouveaux bâtiments sont revêtus de douglas irlandais, et les élévations des extrémités du bloc nord constituent une masse sculpturale complexe.

ADRESSE Nunciature Road, donnant sur Chesterfield Avenue, Phoenix Park, Dublin 8
MAÎTRE D'OUVRAGE Office of Public Works
ARCHITECTES RESPONSABLES DU PROJET Ciaran O'Connor et Gerard O'Sullivan
INGÉNIEUR DU GÉNIE CIVIL O'Connor Sutton Cronin
COÛT £IR 900 000
AUTOBUS 10 à partir du centre ville
ACCÈS ouvert de 9.30 à 17.00 tous les jours ; entrée payante

Office of Public Works 1992

Office of Public Works 1992

Les Quais

Les quais

Le sort des quais a reflété ces derniers temps le destin de la ville tout entière. Bordant les deux rives de la Liffey, de Phoenix Park à l'ouest à Custom House à l'est, les quais sont le corps et l'âme de la ville, où les plus beaux monuments néo-classiques côtoient la contexture géorgienne dans un équilibre unique entre l'uniformité et la variété. Dans son numéro spécial de novembre 1974 défendant la question de l'abandon de Dublin, l'*Architectural Review* déclarait : « À Dublin, ce ne sont pas tant les célèbres rues et places géorgiennes, aussi belles soient-elles, dont on se souvient mais la présence unificatrice de la Liffey… la voie d'eau bordée de maisons crée une image puissante mais attachante, forte tout en conservant une échelle humaine, à laquelle la lumière limpide de Dublin donne une acuité particulière. »

Aussi extraordinaire que cela puisse paraître aujourd'hui, l'ensemble risqua la démolition systématique pour élargir les routes et la menace de la planification plana sur tout le quartier pendant trente ans. En 1991 encore, de merveilleuses maisons géorgiennes étaient démolies à Arran Quay — un véritable scandale. Cependant les temps ont changé et l'avenir s'annonce aujourd'hui plus brillant à la suite de la reconstruction globale des quais, réalisée en un temps record. Presque tous les bâtiments en ruines ont été restaurés ou reconstruits, essentiellement dans le style élaboré par Grafton Architects à Ormond Quay. L'utilisation de ce vocabulaire néo-géorgien modernisé, « qui prend le planificateur en considération », a maintenant atteint des proportions épidémiques aux quatre coins de la ville mais surtout ici, le long des quais. L'omniprésence même de ce style et le manque d'ambition qu'il révèle en font une cible facile mais il y a des arguments en faveur de l'élaboration d'une norme de « contexture urbaine » — une toile de fond uniforme qui mette en valeur les monuments de la ville et les plus beaux édifices. C'est le cas sur les quais où quelques-

Divers architectes

uns des bâtiments récents se détachent très nettement sur leurs voisins.

Sur la rive nord, le plus grand aménagement récent a été réalisé par Zoe Properties à Bachelor's Walk, où une parcelle entière à l'est du Ha'penny Footbridge a été reconstruite en appartements. Les élévations contrefaites donnant sur les quais sont très convaincantes de loin mais, vues de près, elles déçoivent par les détails « classiques » lamentables et les brusques changements de style sur l'élévation arrière et côté cour. Après avoir réclamé pendant tant d'années le repeuplement du centre ville, on aurait mauvaise grâce à se plaindre quand il finit par s'amorcer ; mais ce projet ne peut guère être considéré comme un modèle du genre à cause de sa densité pure et de la pénurie d'espace public.

Plus en amont sur Ormond Quay et dominant de très haut ses voisins, c'est le bâtiment conçu par les architectes Shaffrey Associates pour abriter leurs propres bureaux et domiciles. Le bâtiment de brique dans le style d'Amsterdam est remarquable par la forme lourde de ses toits et ses détails de mosaïque sur l'exemple du bâtiment exubérant de Sunlight Chambers en face, construit en 1901.

Equity House édifiée par David Crowley Architects à l'angle d'Ormond Quay et d'Arran Street présente des détails élégants dans un style à mi-chemin du traditionnel et du contemporain, créant la surprise quand on tourne le coin de la rue. Les quais nord se terminent à Ellis Quay par l'exercice le plus élégant dans le « style des planificateurs », par Burke-Kennedy Doyle, où le mélange habituel des éléments est cimenté par une touche assurée et des proportions satisfaisantes.

D'ouest en est, la rive sud est dominée d'abord par la brasserie Guinness et une étendue de « front de Liffey » en attente d'investissement. Elle abrite une station-service extraordinaire à ne pas manquer car cette caricature de « style palladien » mériterait un premier prix d'horreur.

Divers architectes

Quand on arrive à Merchants Quay, les choses s'améliorent. Les portes de cuivre exotiques de Marshalsea Court donnent du cachet à un bâtiment simple et un lotissement résidentiel à enduit tricolore par O'Muire Smyth Architects utilise baies et balcons pour tirer le meilleur parti des vues sur le fleuve. La courbe de la Liffey à Woodquay est dominée par les Bureaux Municipaux (page 208) et le Centre Viking contigu (page 204), qui sera bientôt rejoint par un nouvel ensemble immobilier privé par Gilroy McMahon, les architectes du musée — le tout faisant partie du quartier de Temple Bar qui déborde sur les quais à Wellington Quay. Le Clarence Hotel a été récemment rénové comme premier hôtel « griffé » de Dublin (dans le style du Royalton de New York) par Costello Murray Beaumont Architects et l'ensemble The Cobbles par Douglas Wallace utilise les fenêtres à colonne centrale omniprésentes et les balcons métalliques incurvés pour rehausser un immeuble banal par ailleurs. La façade blanche rectiligne et les formes exubérantes des toits de Temple Bar Gallery (page 152) prouvent que le « style des planificateurs » n'est pas forcément la solution unique pour combler les espaces vides.

L'échelle de l'architecture augmente peu à peu quand on se rapproche du pont O'Connell et du principal centre commercial où sont regroupés des ensembles de bureaux classiques parmi des vestiges victoriens plus anciens. Après la barrière du pont ferroviaire, les quais se terminent à George's Quay récemment reconstruit par Keane Murphy Duff Architects. Le côté le plus regrettable de cet aménagement n'est pas tant la banalité de la conception que le fait qu'il détruit l'équilibre entre un monument (ici Custom House de James Gandon, en face) et l'échelle réduite qui caractérise toujours le reste des quais.

AUTOBUS 25, 25A, 26, 37, 39, 51, 51B, 66, 66A, 67, 67A, 70, 70X

Divers architectes

Le centre ville au sud de la Liffey

The Irish Museum of Modern Art

(Le musée irlandais d'Art Moderne)

Le Royal Hospital de Kilmainham est le plus ancien édifice classique important d'Irlande, construit sur les plans de Sir William Robinson en 1680 — à l'époque de la naissance de la ville classique — et organisé par le duc d'Ormonde qui était à l'époque Lord Lieutenant (représentant de la Couronne). Il fut construit pour héberger les soldats retraités (sur le modèle des Invalides à Paris) et son plan quadrangulaire et rationnel est très satisfaisant.

L'aile nord abrite la salle à manger et la chapelle; sur les trois autres côtés, des rangées de pièces sur trois niveaux sont ponctuées de lourdes souches de cheminées qui forment des petits cabinets et des antichambres. On y accède par des couloirs qui bordent la cour et le rez-de-chaussée forme une arcade extérieure avec des escaliers aux angles. Le complexe est entouré de 16 hectares de terrains paysagés face au Phoenix Park contemporain, de l'autre côté de la Liffey, au nord. Les bâtiments et le terrain ont été magnifiquement restaurés en 1985 et ont remporté le prix Europa Nostra pour les architectes Costello Murray Beaumont. Quand les plans initiaux pour un centre des arts et de la culture échouèrent, le bâtiment fut désigné comme le nouveau musée d'art moderne.

On peut entrer dans le domaine par l'est ou par l'ouest : l'itinéraire est, par Military Road, comporte une arrivée assez sombre et abrupte mais c'est le plus pratique quand on vient du centre ville. Par l'ouest en revanche, une avenue bordée d'arbres offre une expérience plus mémorable et présente le bâtiment dans son cadre magnifique. Des baies en saillie à fronton baroque au milieu de chaque façade marquent le point où les axes d'approche pénètrent dans la place centrale. Cet espace était initialement gazonné et planté d'arbres mais la première intervention de Shay Cleary consista à couvrir la place de gravier : la même opération

Shay Cleary Architects 1991

Shay Cleary Architects 1991

permit ainsi de transformer son aspect domestique en arrivée urbaine publique tout en renforçant les liens avec son ancêtre parisien.

L'entrée principale du musée est élégamment marquée par des bandes de granite qui dirigent le regard et les pas vers les portes. L'entrée est également indiquée par le vitrage de l'arcade périphérique et une rangée de mâts soigneusement disposés.

Le hall d'entrée est le seul changement capital apporté au bâtiment dans cette transformation délibérément discrète. Le passage d'entrée d'origine et les salles environnantes ont été évidés au rez-de-chaussée et au premier étage pour créer un espace de grande hauteur sous plafond dont les deux niveaux sont reliés par un escalier métallique. Le bureau de vente des billets et la librairie donnent sur cet espace au rez-de-chaussée tandis que le premier étage est aménagé en espace d'exposition non cloisonné. Cette zone est délimitée par des écrans vitrés qui remplissent les arcs et les accès latéraux. Mais le gris foncé des cadres et les motifs des petits-bois (qui reprennent les lignes des élévations existantes) créent une relation très brusque avec le bâtiment d'origine. On peut établir une comparaison intéressante avec une situation analogue à Collin's Barracks, transformée par Gilroy McMahon juste de l'autre côté de la Liffey (voir page 74). Là-bas, le nouveau vitrage du passage est traité comme une couche distincte et placé directement derrière l'arcade ; en outre, le motif des petits-bois s'apparente plus à la nouvelle couche qu'à l'ancien bâtiment, ce qui crée un équilibre plus subtil sans compromettre la modernité du projet.

La surface de l'arcade a fourni l'espace nécessaire pour ajouter un nouvel escalier métallique aux marches de verre qui est l'élément « créé » du musée attirant le plus les regards. Ici aussi, une approche directe du détail et de la structure lui confère une robustesse plus proche de Massey-Ferguson que d'Eva Jiricna.

Shay Cleary Architects 1991

Les salles d'exposition du musée qui occupent trois côtés de la cour conservent en règle générale l'agencement d'origine des salles et le rythme des anciennes chambres et cabinets. Ceux-ci ont été reliés par de nouvelles ouvertures qui permettent une découverte progressive. La petite taille des pièces permet d'exposer certaines œuvres d'art isolément. Les murs et les plafonds blancs, les sols gris clair et les équipements de service discrets reflètent l'austérité du bâtiment d'origine tout en offrant la toile de fond neutre nécessaire à l'art.

Au sud du bâtiment principal, l'Office of Public Works (projeteur Elizabeth Morgan) a transformé la remise du XIXe siècle en ateliers d'artistes et a doublé la surface des bâtiments d'origine par un édifice pastiche — exemple du compromis hélas inévitable qu'entraîne une construction entreprise si près du « patrimoine ». Étant donné l'assurance et le talent des interventions modernes à l'intérieur du bâtiment principal, il est regrettable que l'on n'ait pas conçu un plan contemporain plus audacieux. Les ateliers eux-mêmes sont cependant de merveilleux outils qui permettent au public de rencontrer les artistes et d'assister à des démonstrations de leur travail.

ADRESSE Royal Hospital, Kilmainham, Dublin 8
MAÎTRE D'OUVRAGE Office of Public Works
INGÉNIEUR DE STRUCTURE Joseph McCullough and Partners
AUTOBUS 68, 68A, 78A, 90; Nipper Bus 1, 2 et 3
ACCÈS lundi-samedi 10 h-17 h 30; dimanche 12 h-17 h 30

Shay Cleary Architects 1991

Restauration du Dr Steevens'Hospital

Le Dr Steevens'Hospital fut construit en 1720 sur les plans de Thomas Burgh, selon les mêmes principes que l'hôpital de Kilmainham sur la colline derrière (voir page 90) et Collin's Barracks de l'autre côté de la Liffey au nord, également par Burgh (page 74). Utilisé comme hôpital jusqu'en 1987, le bâtiment est aujourd'hui transformé en bureaux. Ses principaux traits historiques, notamment la cour centrale à arcades, ont été restaurés mais une grande partie est neuve – ce qui peut étonner à première vue.

L'élévation nord ocre jaune « restaurée » est en fait une nouvelle adjonction au paysage urbain de Dublin, de même que l'avant-cour entre la façade et la Heuston Station contigue. Dans ce secteur, la façade nord d'origine avait été cachée par un agrégat de deux siècles d'agrandissements. Outre la suppression de ces constructions, l'entrée principale qui se trouvait à l'origine dans la façade est, sous la tour de l'horloge, a été transportée au centre de la façade nord. La nouvelle entrée est toutefois une copie de l'ancienne entrée classique – solution décevante par sa timidité vue la qualité des interventions modernes dans les deux bâtiments voisins et les précédents modernes de l'architecte. La façade récemment dévoilée est néanmoins une belle réalisation ; de plus, en raison de l'échelle et de la disposition originales des fenêtres sur le fronton, elle parvient également à intégrer une qualité typiquement irlandaise dans son classicisme.

ADRESSE Steevens Lane, Dublin 8
MAÎTRE D'OUVRAGE The Eastern Health Board
INGÉNIEUR DE STRUCTURE Joseph McCullough and Partners
COÛT £IR 4,4 millions
AUTOBUS 24, 68, 69, 79
ACCÈS uniquement sur rendez-vous

Arthur Gibney and Partners 1992

Arthur Gibney and Partners 1992

Les logements d'Allingham Street

L'idée de logements sociaux proposés par des associations à but non lucratif spécialisées est en cours de développement à Dublin avec, à ce jour, peu de projets concrétisés. Gerry Cahill est en première ligne de cette action depuis le tout début mais il n'a pas réussi à faire construire grand-chose.

L'ensemble d'Allingham Street a toutefois été achevé et propose 14 maisons à trois étages et 27 appartements. Avec leur enduit jaune pâle et brique aux allures de banlieue, les appartements forment les « montants de porte » de la nouvelle rue. La rangée de maisons de brique qui forme le côté nord de l'impasse est de conception plus satisfaisante, avec le rythme régulier de ses façades identiques : les porches en saillie du rez-de-chaussée et les amples balcons métalliques des salons du premier étage se trouvent côté rue et non côté jardin, contrairement au cas le plus fréquent. Ce parti donne aux balcons un aspect méridional et instaure une communication entre les salons et la rue. Le projet prévoit aussi une salle commune à l'usage des résidents mais lors de notre visite c'est la rue même qui jouait ce rôle. Une interaction vivante et croissante entre les zones publiques et les balcons pose les bases d'une authentique communauté de quartier.

ADRESSE Allingham Street, The Liberties, Dublin 8
MAÎTRE D'OUVRAGE NabCo, The Co-operative Housing Association
INGÉNIEUR DE STRUCTURE Fearon O'Neill Rooney
COÛT £IR 1,85 million
AUTOBUS 50, 56A, 77, 77A, 150, 210
ACCÈS ne se visite pas

Gerry Cahill Architects 1995

Gerry Cahill Architects 1995

Agrandissement du bureau des Solicitors

L'agrandissement d'un minuscule bureau de derrière dans une ruelle secondaire du quartier inhospitalier des Liberties ne présente pas a priori les atouts d'une architecture élégante mais celle-ci dépasse les espérances normales. Les éléments familiers du vocabulaire de Tynan sont tous présents — brique rouge, fenêtres métalliques aux proportions soignées et à la minceur élégante, surfaces planes dentelées et fenêtres d'angle. Le nouvel ouvrage agrandit un bâtiment d'angle existant et, outre une zone d'accueil au rez-de-chaussée, il offre des bureaux individuels aux juristes. La forme du bâtiment est soigneusement modelée pour éviter les fenêtres sur l'élévation postérieure du bâtiment principal et pour laisser entrer un maximum de lumière dans les bureaux du premier étage tout en leur offrant la vue sur l'animation de Francis Street derrière.

À l'intérieur, les voies de circulation à éclairage zénithal à l'arrière soulignent la longueur et l'étroitesse du site. La surface limitée disponible pour la circulation a été travaillée de façon à créer un espace complexe de grande hauteur sous plafond et une passerelle qui dilatent l'espace intérieur.

* NDT : les fonctions du « solicitor » recouvrent partiellement celles du notaire, de l'avocat et du juriste.

ADRESSE 32 Francis Street, Dublin 2
MAÎTRE D'OUVRAGE Garrett Sheehan
INGÉNIEUR DE STRUCTURE DBFL
COÛT £IR 135 000
AUTOBUS Centre ville
ACCÈS ne se visite pas

Derek Tynan 1995

Derek Tynan 1995

Les logements de Patrick Street

C'est la plus longue façade sur rue construite par un même promoteur à Dublin depuis la fin du XVIIIe siècle. La construction des 195 appartements et des 7 magasins s'est faite en deux tranches et la densité plus forte de la deuxième tranche au sud se manifeste par l'attique supplémentaire et la hauteur accrue. Si les éléments particuliers des immeubles évoquent leurs précurseurs géorgiens, l'échelle générale s'apparente davantage aux logements victoriens des Iveagh Buildings en face. Le grand charme d'une rangée de maisons géorgiennes est l'interaction entre l'uniformité et l'unité générales de l'ensemble et les détails révélateurs des différences entre les maisons. La nouvelle rangée adopte la panoplie traditionnelle – socle à bossages surmonté de murs de brique, parapets plats et détails métalliques des balcons – qui crée une certaine unité mais efface la variété des détails. Bien que l'on ait respecté la plupart des règles usuelles de conception du panorama urbain – les angles sont magnifiés, les entrées exprimées, le dernier étage en retrait – elles ne parviennent pas à dissimuler l'uniformité des appartements derrière. La hauteur égale des étages et des fenêtres et les détails invariablement répétés sapent l'interprétation de la façade qui se veut « géorgienne ». C'est surtout vrai de la deuxième tranche ; Ardilaun Court, plus ancien, présente des proportions générales plus satisfaisantes.

ADRESSE Patrick Street, Dublin 7 (de Dean Street à St Nicholas Place)
MAÎTRE D'OUVRAGE Astondale Developments Ltd
INGÉNIEUR DE STRUCTURE O'Connor Sutton Cronin
COÛT £IR 6,5 millions
AUTOBUS 50
ACCÈS ne se visite pas

Fitzgerald Reddy Associates 1994

Les logements de Bride Street

L'influence des Iveagh Buildings contigus, érigés en 1894 avec des gables hollandais, est sensible dans ce grand ensemble de forte densité élevé dans le cadre de la reconstruction globale de tout le quartier de Christchurch.

Cinquante-neuf appartements et duplex sont entassés sur moins d'un demi-hectare, avec un immeuble d'angle à grande échelle en forme de L à l'avant du site et une rangée de maisons dans une ruelle à l'arrière. Les immeubles de la rue et les duplex avec leurs escaliers d'entrée et leurs balcons entassés sur les façades au modelé audacieux, sont surmontés de grands pignons voûtés en berceau et revêtus de cuivre. L'angle du L est animé par une petite poussée de baroque sous forme d'escaliers métalliques à vis et de murs en pavés de verre. Des plaques de terre cuite sur les murs commémorent les « Voyages de Gulliver », car Jonathan Swift a habité jadis le quartier. Un passage voûté mène à la rangée de maisons dans la ruelle de derrière, qui est un peu écrasée par son homologue musclé.

Les grands édifices en bordure de rue annoncent un retour bienvenu à l'échelle et à la forme dans les travaux de la Municipalité, après une période où les lotissements du centre ville ont été dominés par l'adoption inopportune des normes et de l'esthétique de la banlieue.

ADRESSE Bride Street/Golden Lane, Dublin 8
MAÎTRE D'OUVRAGE Dublin Corporation
ARCHITECTE RESPONSABLE DU PROJET Donal
INGÉNIEUR DE STRUCTURE
Nicholas O'Dwyer
COÛT £IR 3,25 millions
AUTOBUS/TRAIN centre ville
ACCÈS ne se visite pas

Dublin Corporation City Architects 1995

Restauration de Dublin Castle et Centre de conférences

Dublin Castle est occupé en permanence depuis mille ans (dont sept cents pendant lesquels il a été le siège de l'administration anglaise en Irlande) et il a conservé des constructions de toutes les époques de son existence. Après une période récente d'abandon, le château est devenu le centre d'efforts considérables de restauration et de reconstruction. Il est maintenant ouvert au public, surtout comme attraction touristique, mais il abrite également divers services administratifs. De grands tronçons d'ouvrages neufs figurent parmi les bâtiments historiques et les intérieurs restaurés, notamment Castle Hall (qui abrite aussi European Hall, le nouveau centre de conférences de l'État construit pour le sommet de la CEE qui s'est tenu à Dublin en 1990). Un nouvel itinéraire piétonnier important qui mène à Ship Street en traversant le bâtiment des cuisines et le nouveau jardin à l'arrière, a atténué la massivité de la construction.

Le cœur du château est Upper Yard (cour haute) où l'on entre de Castle Street par un portail baroque. Dès l'entrée, on s'aperçoit qu'il appartient à une paire placée de part et d'autre de Bedford Tower, l'ancien bureau de généalogie, rebaptisé Castle Hall. (Il était initialement destiné à abriter le centre d'accueil des visiteurs qui est maintenant situé dans les caves de la cour basse ou Lower Yard). Les deux portes sont appelées Justice et Fortitude (Courage). Jusqu'à une date récente, la seconde était factice, l'accès étant bloqué par une banque de Castle Street. Le chemin entre la porte Fortitude et la rue est aujourd'hui ouvert pour la première fois et permet aux visiteurs de descendre vers les nouvelles portes qui s'ouvrent sur la rue (par un nouveau pont qui enjambe un jardin aquatique situé en contrebas, à l'emplacement de l'ancien fossé). L'agrandissement que l'on voit du pont à l'arrière et à droite de Bedford Tower est Castle Hall ; à gauche, au bout du « fossé », c'est European Hall.

Office of Public Works 1989

Office of Public Works 1989

À droite de la cour haute, le passage voûté traverse les bâtiments existants menant à George's Court, une nouvelle zone paysagée. Celle-ci continue à droite et monte jusqu'à un jardin sur le toit du centre de conférences qui offre une bonne vue aérienne des nouveaux ouvrages. En tournant à gauche à la sortie de George's Court, on arrive à un nouvel itinéraire permettant de sortir du château par le sud, en descendant plusieurs niveaux jusqu'à Ship Street.

Ce bref parcours traverse une masse très complexe de bâtiments. Pour en venir à bout, les architectes ont dû relever des défis – installer des équipements modernes dans un cadre ancien, restaurer des bâtiments existants et en construire de nouveaux, et saisir la signification des trouvailles archéologiques. Tout au long des travaux, divers niveaux historiques, vieux murs et autres fragments ont été découverts pour la première fois. Les utilisations historiques de certains espaces ont été conservées; ils ont réinterprété les jardins qui s'étendaient autrefois autour du secteur des anciennes douves.

Les nouveaux bâtiments se présentent comme de lourds blocs de granite gris, à rayures, qui reprennent au besoin les lignes existantes de la corniche et des bandeaux qui leur permettent d'occuper leurs emplacements sans avoir recours au pastiche total. Le nouvel espace extérieur principal est autour du pont après la porte Fortitude, où les deux nouveaux volumes intérieurs principaux se font face par-dessus le jardin aquatique. Leurs fenêtres basées sur des modules carrés et des détails vaguement post-modernes indiquent que la création date de la fin des années 1980. Les châssis de fenêtre dorés ainsi que le pont et les balustrades de style chinois semblent incongrus dans le cadre d'un château; ils évoquent plutôt les maisons arabes contemporaines. Toutefois, pris dans son ensemble, un bel espace neuf a été façonné — avec l'interaction entre l'ancien et le neuf, les couches horizontales de la construction (notamment la réutilisation de l'arcade de la vieille banque), les fontaines et la sculpture.

Office of Public Works 1989

Office of Public Works 1989

Le motif de rayures de granite se répète dans toute l'enceinte du château pour indiquer les nouvelles constructions. Le bâtiment qui descend de George's Court à Ship Street a été conçu comme des remparts modernes jouxtant la Birmingham Tower du XIIIe siècle. La possibilité de marcher en permanence sur et sous les espaces intérieurs, en profitant de différents points de vue originaux, prolonge le caractère du château. Là où c'est possible, les ouvrages récents mettent en évidence les niveaux historiques du lieu, en utilisant souvent des éléments nouveaux pour réinterpréter les traits d'antan ; le jardin aquatique par exemple reflète l'emplacement des douves.

Le chemin de Ship Street mène aux secteurs récemment restaurés et aux jardins du château nouvellement créés. La base des escaliers à Birmingham Tower fait face à la tour de l'horloge et à droite à la caserne de Great Ship Street, deux constructions récemment restaurées. Pendant les travaux, les belles façades de la fin de l'époque géorgienne donnant sur Great Ship Street ont été découvertes. La tour de l'horloge, précédée maintenant d'une avant-cour recouverte de gravier, a été conçue par Francis Johnson, un des plus grands architectes irlandais du début du XIXe siècle. Sa façade austère dissimule un nouvel atrium central à toit de verre et un bâtiment d'exposition qui abrite la collection de livres et de manuscrits de la Chester Beatty Library. On entre dans le bâtiment par une entrée latérale donnant sur le jardin Dubh Linn voisin (« mare noire » en gaélique, d'où l'origine du nom de Dublin). Selon la tradition, la mare se serait trouvée à l'emplacement des nouveaux jardins, entre le mur-écran qui donne sur la rue et la remise de style néo-gothique au sud. La caractéristique des jardins est une grande pelouse circulaire à l'intérieur d'un carré qui rétablit un trait historique perdu tout en servant d'aire d'atterrissage pour hélicoptères. (Les balises sont intégrées au motif de serpent celte enroulé dans l'herbe). Un rempart de brique incurvé relie une rampe au pont existant qui mène aux bâtiments principaux du château.

Office of Public Works 1989

Office of Public Works 1989

Les quatre angles de l'espace sont consacrés à des jardins à thème, plus petits, dont le plus formel sert d'entrée au bâtiment d'exposition. C'est une caisse de brique, animée par des arcs aveugles, séparée de la tour de l'horloge par une passerelle de verre qui annonce l'atrium intérieur. Au sud, la remise néo-gothique a elle aussi été restaurée comme équipement supplémentaire pour les conférences.

Dans l'enceinte du château, les bâtiments et les terrains sont tous meublés d'œuvres d'art et d'installations spéciales commandées à des artistes et artisans irlandais de renom. Dans sa totalité, l'enceinte du château constitue une série riche et variée d'espaces urbains que ne surpasse à Dublin que Trinity College.

ADRESSE entrée principale dans Castle Street, donnant dans Dame Street, Dublin 2
MAÎTRE D'OUVRAGE Office of Public Works
ARCHITECTES RESPONSABLES DU PROJET
Centre de conférences, Klaus Unger.
Caserne de Great Ship Street et Tour de l'Horloge, Kevin Wolahan ; jardins de Dubh Linn et remise, David Byers
AUTOBUS/TRAIN centre ville
ACCÈS les bâtiments ne se visitent pas sauf la Chester Beatty Library à partir de juin 1997. Pour tous renseignements, s'adresser au Dublin Castle Visitors'Centre, Lower Yard (centre d'accueil dans la cour basse)

Office of Public Works 1989

Office of Public Works 1989

Les logements de Dame Street

Appelés familièrement « Yoke on the Oak » (le joug sur le chêne) parce qu'ils sont situés au-dessus du pub « The Oak », ces appartements illustrent un autre type encore de logements expérimentaux au sein du « laboratoire » de la vie citadine de Temple Bar. Les nouvelles habitations sont ici placées directement sur le toit du bâtiment « hôte », sans souci d'« harmonie » ou d'« assortiment avec les matériaux préexistants ». Bien que cette approche ne soit pas la plus subtile, c'est elle qui dans le cas présent suscite l'intérêt.

Avec son revêtement métallique plaqué de tôle plombée qui brille au soleil et les grandes surfaces vitrées des espaces à vivre de grande hauteur sous plafond, l'immeuble annonce un monde secret au niveau du toit par sa lumière et ses vues. Tôt ou tard, le brise-soleil de l'avant sera recouvert de plantes grimpantes qui accentueront la notion de domaine caché loin au-dessus de l'agitation de la rue. L'angle incliné du pare-soleil et la pente de la façade vitrée participent à la gaieté de l'édifice dont elles dirigent l'orientation vers les étoiles et non vers le caniveau.

ADRESSE 81-82 Dame Street, Dublin 2
MAÎTRE D'OUVRAGE Hugh O'Regan
INGÉNIEUR DE STRUCTURE DBFL
COÛT £IR 500 000
AUTOBUS/TRAIN Centre ville
ACCÈS ne se visite pas

Murray O'Laoire Associates 1994

Murray O'Laoire Associates 1994

Dublin Institute of Technology

Un angle incurvé de Bishop Street qui ne passe pas inaperçu marque l'entrée du nouveau campus de l'Institut de Technologie de Dublin, construit sur l'emplacement de l'ancienne biscuiterie Jacob. Le site occupe un pâté de maisons entier entre Bishop Street et Peter Street au nord et il sera totalement entouré de nouvelles constructions à l'achèvement du projet.

Les bâtiments actuels (première tranche) englobent une partie des entrepôts d'origine du XIXe siècle, notamment l'arcade en granite du rez-de-chaussée sur Peters Row qui impose son rythme aux baies des nouveaux ouvrages qui la surmontent. L'utilisation précédente du site a déterminé l'esthétique d'entrepôt de l'institut : des exercices raisonnables en briquetage sur les élévations principales, et des panneaux d'aluminium et des fenêtres qui s'animent aux angles, où des tambours et des murs à gradins résolvent le problème de la géométrie.

L'entrée principale est particulièrement remarquable avec ses écrans incurvés à degrés et un passage vitré bien visible au dernier étage qui assure une jonction lumineuse avec le ciel. Les portes d'entrée donnent sur un vestibule de hauteur triple où un haut écran de verre incliné surplombe la cour centrale du campus.

ADRESSE Aungier Street, Dublin 2
MAÎTRE D'OUVRAGE Dublin Institute of Technology
INGÉNIEUR DE STRUCTURE Lee McCullough and Partners
AUTOBUS 14, 14A 47
ACCÈS libre

Burke-Kennedy Doyle and Partners 1994

Burke-Kennedy Doyle and Partners 1994

Café et club de musique Mean Fiddler

Ce célèbre café-bar est la reconstruction de la vieille Wexford Street Inn, rendez-vous de la musique traditionnelle et folk/rock et premier avant-poste irlandais de Vince Power, l'organisateur et impresario de musique basé à Londres. Dans une reconstruction intégrale, on a conservé une partie de la carcasse de l'ancien bâtiment pour aménager un bar au rez-de-chaussée et, à l'étage, un club de musique pouvant accueillir 500 personnes. Le toit a été surélevé et l'ensemble de la construction a été enveloppé d'un épais isolant acoustique pour empêcher les voisins de profiter des spectacles !

Madigan et Donald sont célèbres au Royaume-Uni pour leur série d'élégants bars et clubs modernes et ils utilisent ici cette expérience pour évoquer un intérieur contemporain avec des moyens limités. La façade existante côté rue a été remaniée et le nouvel écran de verre gravé au niveau de la rue laisse voir un escalier éclairé d'en haut menant à la salle de concerts principale. Le café-bar qui se trouve à l'arrière au rez-de-chaussée est une grande salle pourvue d'un comptoir métallique rectiligne et d'un mobilier de café en aluminium. L'utilisation de couleurs vives, de beaux matériaux et d'équipements industriels caractérise l'espace dont la sobriété rude est bien appropriée à un établissement de rock. Par exemple, les panneaux muraux faits de feuilles de contreplaqué appliquées directement, parsemées de fentes découpées et de lumières colorées, prouvent qu'un budget limité est souvent un excellent stimulant pour l'imagination et l'ingéniosité.

ADRESSE 26 Wexford Street, Dublin 2
MAÎTRE D'OUVRAGE The Mean Fiddler Organisation/Kieran Cavanagh Productions
INGÉNIEUR DE STRUCTURE Muir Associates
AUTOBUS 14, 14A, 47
ACCÈS libre

Madigan and Donald Architects 1995

Madigan and Donald Architects 1995

Centre commercial de St Stephen's Green

Ne serait-ce que pour répondre à l'incontournable question du visiteur se demandant ce que peut bien être cette « pâtisserie », il faut mentionner cet édifice. C'est en fait le centre commercial vedette de Dublin. Situé au coeur du quartier commerçant principal du sud de la ville, il contient trois niveaux de magasins disposés autour d'un immense hall à toit de verre. Sous le parking à étages de 650 places se trouve une aire de services souterraine.

La galerie marchande principale pourrait être un espace magnifique mais elle est étouffée par un fouillis de boutiques kitsch. C'est un exemple flagrant de la maxime cynique des promoteurs qui dit que si l'on enferme le consommateur à l'intérieur avec les marchandises (en masquant les sorties), les ventes augmentent. On peut éviter ces pièges en n'y entrant pas mais à l'extérieur on ne peut pas échapper au bâtiment : il s'impose à toutes les vues autour de St Stephen's Green. Face à la place, le revêtement boulonné qui ressemble à un napperon de papier est manifestement inspiré des bateaux à aubes du Mississippi, tandis que les grands côtés et l'arrière ressemblent en beaucoup plus gros au Gaiety Theatre contigu.

Qu'un bâtiment d'une telle importance dans la ville ait pu être conçu avec une telle banalité est scandaleux. Le revêtement boulonné doit pouvoir être déboulonné, un nouvel habillage étant le seul espoir. Si vous vous trouvez piégé à l'intérieur, jetez un coup d'œil au magasin de vêtements pour hommes Diffney (Paul Keogh, 1989).

ADRESSE à l'angle de St Stephen's Green West et de Grafton Street, Dublin 2
MAÎTRE D'OUVRAGE The British Land Company plc
INGÉNIEUR DE STRUCTURE Ove Arup and Partners
AUTOBUS/TRAIN centre ville
ACCÈS libre

Power Architectural Design 1988

Power Architectural Design 1988

Compte à rebours jusqu'à l'an 2000

C'est l'ambitieux vainqueur d'un concours pour un monument effectuant un compte à rebours jusqu'à l'an 2000. Centré sur le pont O'Connell, lien principal entre le nord et le sud de la ville, il se compose d'une horloge à affichage numérique fixée juste sous les eaux de la Liffey qui égrène les secondes jusqu'au grand moment. Elle est entourée d'instruments à anche mécaniques destinés à émettre un spectacle son et lumière orchestré. Sur le pont, une borne métallique distribue des cartes postales sur lesquelles est imprimé le temps qui reste jusqu'à l'an 2000 au moment de l'achat. Quand la fête battra son plein et que le compte à rebours marquera O, ce gigantesque réveil explosera comme un feu d'artifice, se libérera de ses entraves et flottera jusqu'à la mer, embrasé comme une allégorie dans la tradition viking (voir page 142). Dans l'intervalle, les instruments à anche auront également subi une combustion vive mais ils resteront comme sculpture cinétique permanente.

Les architectes qualifient leurs concepts « d'étude sur le temps, l'immatérialité du temps et les forces de la nature, la Liffey comme générateur historique de la ville et Dublin comme port… l'horloge la plus belle et la plus étonnante du monde ». Après une telle publicité, la réalité ne peut que décevoir.

EMPLACEMENT pont O'Connell
MAÎTRE D'OUVRAGE Dublin City Corporation
AUTOBUS/TRAIN centre ville
ACCÈS libre

Hassett Ducatez Architects 1996

Hassett Ducatez Architects 1996

Restaurant Tosca

Dublin manque incontestablement de nouveaux intérieurs intéressants de pubs et de restaurants (voir cependant page 202) et à cet égard, elle est en retard sur les autres capitales européennes. Ross Cahill-O'Brien est à l'origine de la plupart des intérieurs récents les plus remarquables, notamment de cet exercice éclectique. Il n'est pas renommé pour sa pureté de vision mais il parvient en revanche à produire des effets à partir d'une concentration d'idées et d'images qui gagnent en vitalité ce qu'elles perdent en consistance.

Allusions et métaphores sont ici bien mélangées : une devanture incurvée d'inspiration Art Nouveau et un vestibule font place à un intérieur où se mêlent les plafonds et le lambrissage à la Charles Rennie Mackintosh, les éléments japonais et les sièges modernes. L'élément dominant est toutefois un curieux bar en forme de proue de navire, doté d'une coque rivetée (de papier mâché et de cirage) et d'une superbe machine à cappucino en figure de proue, ornée d'un aigle doré tapi dans une aire faite sur mesure. On peut ajouter au thème de la mer une pointe authentique de mal de mer si l'on regarde de trop près les douces ondulations de l'éclairage exotique suspendu, œuvre du créateur Geoff Rule. Les toilettes méritent elles aussi une visite pour leurs lavabos de verre et leurs installations réalisées avec art.

ADRESSE 20 Suffolk Street, Dublin 2
PROJETEUR Ross Cahill-O'Brien
COÛT £IR 160 000
AUTOBUS/TRAIN centre ville
ACCÈS libre

Edmondson Architects 1992

Hall du Ministère de l'Agriculture, de l'Alimentation et des Forêts

Le hall de grande hauteur sous plafond d'un immeuble de bureaux quelconque a été transformé par une nouvelle mezzanine qui abrite des salles de réunion et de conférence. Vues de la rue à travers l'arcade extérieure, ses taches de lumière jaunes et lumineuses invitent à la découverte. Une caisse de forme libre élevée sur pilotis — de l'écurie du Style International créé par Le Corbusier et transmis par Richard Meier — abrite une salle de conférences et constitue le point de mire de l'espace. Un autre centre d'intérêt est l'escalier de pierre et d'acier qui monte autour d'un noyau plein à l'autre extrémité, formant un angle avec l'espace principal pour souligner l'indépendance du nouvel ouvrage par rapport au bâtiment « hôte ».

Le nouveau baldaquin en verre de l'entrée surmonte un tapis en pierre de Portland découpé dans les placages existants, touche de matérialité qui ne se prolonge pas dans les constructions intérieures principales où la priorité va à la forme et non à l'expression de la structure ou au matériau. Les sièges sinueux, l'éclairage et la signalisation élégants complètent un intérieur chic et coloré dans un bâtiment administratif gris par ailleurs.

ADRESSE Kildare Street, Dublin 2
MAÎTRE D'OUVRAGE Department of Agriculture, Food and Forestry/Office of Public Works
INGÉNIEUR DE STRUCTURE Malachy Walsh and Partners
COÛT £IR 300 000
AUTOBUS/TRAIN centre ville
ACCÈS aux heures de bureau

Shay Cleary Architects 1994

Shay Cleary Architects 1994

128

Northern Irish Tourist Board

(Office de Tourisme d'Irlande du Nord)

Les intérieurs de magasins contemporains vigoureux sont une rareté à Dublin : la norme, notamment sur Nassau Street, est le style « patrimonial » censé plaire aux touristes. Ailleurs, l'approche contemporaine suit en général le modèle minimaliste où l'architecture est invariablement submergée par la marchandise.

Le NITB dissimule son noyau moderne derrière une devanture « contextuelle », légèrement plus originale que la normale par son retour d'angle qui profite à une nouvelle vitrine. L'intérieur en revanche est bien conçu et attire le vacancier potentiel au fond de son plan étroit et allongé. L'espace avant, avec ses présentoirs de dépliants et le bureau d'accueil, s'adresse au flâneur et à celui qui est en quête de renseignements. Ensuite c'est le bureau de vente principal et tout au bout, légèrement surélevés, des sièges sont disponibles pour les consultations et les réunions.

Une voûte en berceau rectiligne guide le visiteur qui vient de la rue et une lucarne au fond de l'espace permet à la lumière du jour d'éclairer l'aire de réunion. Ailleurs, les murs éclairés, les meubles plaqués de bois de cerisier, les sièges en cuir et les tapis faits main, le tout dans une palette chromatique bien maîtrisée, soulignent le principe numéro un de l'esthétique d'un magasin de détail : faire entrer le client.

ADRESSE 16 Nassau Street, Dublin 2
MAÎTRE D'OUVRAGE Northern Irish Tourist Board
COÛT £IR 100 000
AUTOBUS/TRAIN centre ville
ACCÈS aux heures d'ouverture

Kearney and Kiernan Architects/Michael Collins and Associates 1990

Kearney and Kiernan Architects/Michael Collins and Associates 1990

Mercy International Centre

Ce bâtiment était à l'origine un foyer pour les femmes en détresse, créé en 1827 par Catherine McAuley. Il se développa avec le temps et devint le siège de l'ordre des Sœurs de Mercy International, un organisme religieux universel dont la congrégation est la plus grande jamais atteinte par un fondateur anglophone (elle est enterrée dans le jardin derrière les bâtiments).

Le complexe a été entièrement restauré et rénové, un siècle et demi d'ajouts anarchiques a été retiré et le bâtiment d'origine consolidé. Un nouveau centre d'accueil a été créé et la chapelle restaurée et modernisée. Mais ce qui fait la spécificité de ce projet par ailleurs robuste et sérieux est l'élévation originale côté jardin, conçue comme une mêlée de petites tours ayant chacune sa personnalité. Un nouvel agrandissement de brique avec des fenêtres d'angle et une lucarne originale en pente côtoie une travée plus ancienne coiffée d'une coupole qui sépare deux tours. Le groupement fait penser à l'hôtel New York New York de Las Vegas où les architectes ont recréé un quartier de Manhattan sans les rues. Rares sont les couvents irlandais qui évoquent de si étranges associations.

ADRESSE 64A Baggot Street, Dublin 2
MAÎTRE D'OUVRAGE Sisters of Mercy International
INGÉNIEUR DE STRUCTURE Michael Punch and Partners
COÛT £IR 2 millions
AUTOBUS 10, 46, 46A 46B
ACCÈS en semaine de 11 h à 16 h

Richard Hurley and Associates 1994

Bureaux Aranás B

Généralement parlant, Dublin a échappé à la vogue des bureaux post-modernes dans les années 1980 — jusqu'à l'arrivée de ce bâtiment de Lower Mount Street. Le site, inoccupé depuis des années, se trouvait curieusement entre la dernière rangée de maisons authentiques géorgiennes montant de Merrion Square et les immeubles de bureaux ordinaires des années 1970 du reste de la rue.

Pris en quelque sorte dans un dilemme, les architectes ont évité de s'engager dans une direction particulière et ont pris un peu de tout. La façade « contextuelle » de base pseudo-géorgienne forme une toile de fond symétrique sur laquelle sont superposées une porte « baroque » grossière dans un soubassement de pierre à bossages et, au niveau du toit, une fenêtre en oriel moderne de verre et d'acier étonnamment élégante.

Cette alliance indue des styles n'est toutefois pas infructueuse, surtout vue de loin car la fenêtre en saillie anime une rue qui est en réalité terne et morne.

ADRESSE 65/66 Lower Mount Street, Dublin 2
MAÎTRE D'OUVRAGE Aranás Ireland Ltd
INGÉNIEUR DE STRUCTURE Ove Arup and Partners
COÛT £IR 2,1 millions
AUTOBUS/TRAIN centre ville
ACCÈS ne se visite pas

A + D Wejchert 1991

Le centre Ville au sud de la Liffey

A + D Wejchert 1991

Waterways Visitors'Centre
(Centre d'accueil des voies navigables)

Ce « bâtiment-objet » moderniste se trouve au milieu du Grand Canal Basin. C'est une forme cristalline blanche distincte, à l'écart des alentours tombant en ruines, qui expose résolument la totalité de ses références marines. Les architectes avaient initialement envisagé d'en faire un ponton flottant — jusqu'à ce que le Titanic vienne à l'esprit — mais il a été construit sur des piliers de béton reposant au fond du dock. À première vue les matériaux — placage blanc et blocs de verre — rappellent l'oeuvre de l'architecte américain Richard Meier mais ici les complexités de la réponse géométrique de Meier au contexte sont évitées en faveur d'un jeu plus simple de volumes « purs », qui vaut au centre le sobriquet de « caisse dans les docks ». Sa précision géométrique aiguë est soulignée par les entrepôts, silos et autres vestiges du passé industriel qui l'entourent.

La simplicité de la forme est obtenue en plaçant les services (toilettes, boutiques, etc.) dans un pavillon distinct, ce qui laisse le bâtiment principal dégagé. Le bâtiment de service forme aussi l'entrée principale qui mène à un pont reliant le centre à la terre ferme.

Le bâtiment principal est un simple cube, avec une mezzanine sur la diagonale du carré et une plate-forme d'observation au niveau du toit. Ces niveaux sont reliés par un escalier logé dans un cylindre en pavés de verre, dont la composition géométrique crée un jeu entre le carré, le cercle et le triangle. L'entrée donnant sur le pont est obtenue en rognant l'angle du cube pour laisser voir le tambour de verre. La circulation à travers les espaces d'exposition crée une promenade architecturale soigneusement orchestrée à travers les espaces intérieurs qui monte à la terrasse sur le toit et revient à l'entrée par un escalier extérieur.

À l'intérieur, les murs sont plaqués de panneaux rares de chêne irlandais débité en quart de rond et le sol est revêtu du même bois dur que le

Office of Public Works 1993

Office of Public Works 1993

pont d'un navire. Cet intérieur feutré, comme un yacht, tranche nettement sur l'extérieur sévère du bâtiment. L'entrée de la lumière du jour a fait l'objet d'une réflexion approfondie : les fenêtres sur allège vitrée notamment laissent pénétrer la lumière. Par une journée ensoleillée, une combinaison énergique de la lumière et du volume rend parfaitement l'esprit voulu du Mouvement Moderne.

Depuis quelque temps, le centre est un phare dans un désert mais c'est vers le secteur du Grand Canal tout entier qu'est maintenant orientée la rénovation urbaine, encouragée par le succès de Custom House Dock de l'autre côté de la Liffey. Les prochaines années devraient voir le début d'une infrastructure de transport, sous forme de station DART et de nouveaux aménagements mixtes avec des marinas, des établissements culturels et des centres de sports nautiques organisés par Murray O'Laoire Associates.

ADRESSE Grand Canal Basin, Ringsend, Dublin 2
MAÎTRE D'OUVRAGE Office of Public Works
ARCHITECTE RESPONSABLE DU PROJET Ciaran O'Connor
INGÉNIEUR DE STRUCTURE Thomas Garland and Partners
COÛT £IR 812 300
AUTOBUS 1, 3 ; DART Pearse Station
ACCÈS entrée payante. Ouvert tous les jours de juin à septembre, de 9 h 30 à 18 h 30

Office of Public Works 1993

Aménagement mixte de Clanwilliam Square

Cette petite zone aménagée est le bref moment où l'intérêt pour le modernisme a décliné en faveur d'un intérêt accru pour les questions urbaines et les précédents historiques. À la fin des années 1980, à l'issue d'une récession paralysante, Dublin disposait d'un excédent de surfaces de bureaux et les aménagements commerciaux avaient du mal à décoller. Parallèlement, on reconnaissait de plus en plus les limites du modernisme dominant, notamment dans l'esthétique urbaine. En 1988, Arthur Gibney (ancien associé de Sam Stephenson et co-auteur de certains bâtiments modernes) déclara la mort du Mouvement Moderne et créa Clanwilliam comme la nouvelle direction.

C'est un aménagement mixte de petite échelle fait de bureaux et de maisons ayant chacun leur propre porte, disposés en rues et en places. Les détails traditionnels — « montants de porte » octogonaux à l'entrée de la rue et accent mis sur les espaces piétonniers — créent un modèle humain et juste d'aménagement urbain, indépendamment du style architectural.

Le Mouvement Moderne n'était cependant pas mort mais simplement en sommeil et les meilleurs bâtiments ultérieurs « néo-modernes » (à Temple Bar par exemple) semblent avoir assimilé les leçons urbaines de Clanwilliam et en avoir tiré profit. Il semble que Clanwilliam n'ait été qu'une simple trouée brève dans les nuages.

ADRESSE Clanwilliam Square, Grand Canal Quay, Dublin 2
MAÎTRE D'OUVRAGE Slavenburg Investments Ltd
INGÉNIEUR DE STRUCTURE Joseph McCullough and Partners
COÛT £IR 1,8 million
AUTOBUS 1,3 ; DART Pearse Station
ACCÈS aux espaces publics seulement

Arthur Gibney and Partners 1988

Arthur Gibney and Partners 1988

Temple Bar

Le quartier appelé Temple Bar est en plein centre de Dublin et s'étend sur la rive sud de la Liffey, reliant de nombreuses institutions nationales, de Trinity College à l'ouest aux bureaux municipaux et à la cathédrale de Christchurch à l'est. Le tracé médiéval des rues a survécu malgré les « Commissaires aux rues larges » de l'époque géorgienne et les fouilles archéologiques ont livré l'emplacement du premier Dublin, fondé par les Vikings à Woodquay.

Au début des années 1970, une grande partie du quartier fut affectée à une immense gare de correspondance dans le cadre du plan proposé (par le cabinet d'architectes américain Skidmore Owings & Merrill) pour une liaison ferroviaire souterraine reliant les gares d'autobus des deux côtés du fleuve. En vue de ce plan, Coras Iompair Eireann (CIE), la compagnie nationale des autobus, commença à acheter tous les terrains et immeubles du quartier et à les louer à bail à bas prix et à court terme. Ce fut une arme à double tranchant : de nombreux bâtiments anciens furent inutilement démolis pour céder la place aux parkings et autres utilisations à court terme mais le quartier se transforma spontanément en un centre bohême et attira magasins, cafés, studios d'enregistrement, boîtes de nuit et galeries d'art. L'enthousiasme politique pour la coûteuse gare de correspondance déclina tandis que croissait l'enthousiasme du public pour la culture de rue et la trépidation de la « Rive Gauche » de Dublin dont le potentiel comme manne touristique se précisait.

Dans la période précédant les élections de 1987, le futur Taoiseach (Premier Ministre) Charles Haughey, très opportuniste, annonça qu'il « ne laisserait pas le CIE s'en approcher » et s'engagea à soutenir un aménagement fondé sur la défense de l'environnement. Une fois élu, Haughey exploita le choix de Dublin comme capitale culturelle de l'Europe en 1991 pour obtenir des fonds européens destinés à transformer le quartier en centre culturel. Une loi créa une société d'exploitation – Temple Bar Properties – ayant pour mission de stimuler et de faciliter la rénovation du quartier en préservant le parc de

logements et en persuadant les résidents de rester. En outre, on accorda la priorité absolue à l'encouragement des activités culturelles. (Un concours d'architectes invités, organisé en 1991 pour fournir un cadre d'aménagement au quartier, se soucia autant des nouvelles utilisations que de l'esthétique).

L'histoire récente de Temple Bar illustre le changement d'attitude à l'égard de la ville et de sa conservation qui s'est développé dans toute l'Europe au cours des 25 dernières années. En Irlande, le débat architectural sur la question a été essentiellement lancé par un groupe d'architectes associés à l'Ecole d'Architecture de l'University College de Dublin (UCD). Deux points prévalaient : l'opportunité des interventions et des aménagements urbains dans le périmètre du vieux centre ville et l'élaboration d'une architecture régionale identifiée sans hésitation comme « irlandaise ». L'œuvre d'Aldo Rossi et de Leon Krier exerça son influence sur le débat urbain et des auteurs comme Niall McCullough formulèrent le débat régional. Bien que les projets essentiels – « Dublin City Quays » (les quais de la cité de Dublin) en 1986 et « Making a Modern Street » (créer une rue moderne) en 1991 – soient restés lettre morte, leurs architectes (baptisés Group 91 à l'époque du second projet) continuèrent à élaborer une approche collective et mûrie et finirent par remporter une victoire éclatante au concours du Temple Bar Urban Framework (cadre urbain de Temple Bar).

Le plan du Group 91 se basait sur un nouvel itinéraire piétonnier est-ouest traversant les ilôts urbains, avec espaces publics en plein air aménagés sur les vides dégagés précédemment pour la création de parkings. Les principaux espaces concernés étaient Temple Bar Square, Meeting House Square et la nouvelle Curved Street. Le plan d'ensemble englobait les schémas d'utilisation, notamment la réintroduction d'unités à usage d'habitation dans le vieux centre ville, au même titre que les questions de conception formelle.

Temple Bar Properties réussit à encourager le secteur privé et en peu de temps le quartier a été transformé par de nombreux aménagements à petite échelle, qui s'alignent sur le plan général. Le panorama de la rue a lui aussi été soigneusement étudié, le mobilier urbain et les installations artistiques contribuant à l'unité et à la personnalité du quartier.

Ces travaux n'ont pas été sans problèmes. En raison de la pure densité du parc de logements existant et de la complexité des formules de propriété, certains projets tournèrent au cauchemar à cause d'intérêts contradictoires et de litiges portant sur des murs mitoyens. Des inquiétudes particulières ont été exprimées sur le bien-fondé de créer tant de nouveaux centres culturels qui nécessiteront un financement public quand leurs subventions d'investissement seront épuisées. La résistance inévitable à l'architecture contemporaine au sein d'un secteur historique a aussi été exprimée. En tant que modèle de rénovation au sein d'un noyau urbain homogène préexistant, l'expérience de Temple Bar était incontestablement d'une ambition extrême mais son objectif principal était d'améliorer le quartier sans porter préjudice à l'esprit fragile des lieux qui s'y était développé (à cause du manque de contrôle ou d'organisation). Résidents et entreprises sont encouragés à rester et des engagements sont pris pour que les loyers restent abordables. Les commerces contribuant sont très encouragés. Les agents de sécurité en uniforme apparaissent et les forces du marché se rassemblent. Le quartier est-il simplement trop proche du centre ville pour éviter l'afflux des sociétés de crédit immobilier et des bureaux qui mettront les prix hors de portée. Les musiciens ambulants devront bientôt passer une audition devant le conseil municipal…

TEMPLE BAR VISITORS'CENTRE 18 Eustace Street, Dublin 2
ACCÈS ouvert de 9 h à 18 h tous les jours de mai à septembre ; fermé le samedi et le dimanche le reste de l'année

Pierre's

Temple Bar Square

Temple Bar Square est l'espace public qui constitue le pivot du nouvel itinéraire est-ouest traversant les îlots du quartier. La place se trouve également à la jonction importante où cet itinéraire croise le passage entre Merchant's Arch et le Ha'penny Footbridge, qui relie Temple Bar à la rive nord de la Liffey. Au sud de l'arche, Crown Alley conduit à l'espace public qui se trouve devant Central Bank sur Dame Street.

La place se compose d'un mélange complexe de bâtiments à usage commercial et résidentiel, dont la forme est exploitée pour articuler l'espace extérieur. Le bâtiment est en réalité plus petit qu'il ne paraît au premier abord car la moitié de la façade côté place est une bande étroite de logements servant essentiellement à masquer le flanc d'un entrepôt et à offrir une façade non commerciale.

Le côté qui donne sur Fownes Street se compose de boutiques au niveau de la rue surmontées de neuf petits appartements, jonglant avec les exigences concurrentes de la vue et de l'éclairage d'une part, de l'intimité de l'autre. Il en résulte une complexité interne que l'on peut mesurer en levant les yeux pour voir, au-delà des grandes fenêtres, les lucarnes en dents de scie qui sont la marque de fabrique du Group 91. L'entrée des appartements se trouve dans la fente au centre de la façade.

L'élévation côté place a six boutiques et un café s'ouvrant sur le trottoir. Quand ils sont fermés, ces locaux sont protégés par un rideau de sécurité inventif qui se replie verticalement et peut se transformer en baldaquin dans d'autres circonstances. L'élévation elle-même présente un schéma complexe de vides et de pleins, avec des panneaux de brique, de verre et de métal, et des grillages dans un cadre délicat d'acier. Tous les retours et les angles sont revêtus de plaques d'aluminium ou d'acier, ce qui retire au placage de brique toute profondeur ou solidité. L'édifice donne donc une impression de fragilité, surtout quand on le compare aux entrepôts rudes

Group 91 (Grafton Architects) 1995

Group 91 (Grafton Architects) 1995

et sévères qui l'entourent. En qualifiant l'élévation de toile ou de « peau » tendue, les architectes établissent un parallèle intéressant avec les façades géorgiennes.

La zone extérieure est réalisée simplement en projetant du bâtiment une surface de pierre unie, des marches de taille dégressive absorbant la dénivellation avec Temple Bar. Quelques simples bancs et des poubelles bien alignées occupent la plate-forme et une rangée de hauts réverbères tubulaires délimite un des côtés.

Le bâtiment de la place sert d'introduction au vocabulaire architectural du nouveau Temple Bar : usages mixtes, importance de l'élément résidentiel, profils complexes à lanterneaux, vides d'accès libre reliant des petites cours d'entrée, et jardins sur les toits – le tout allié à des détails modernes épurés. Dans le cas présent, le mélange donne l'impression que le bâtiment est un décor de théâtre dont la place est la scène, effet amplifié par la « minceur » apparente de la « peau » de la façade. C'est là un reflet pertinent des objectifs du projet d'aménagement relatifs au théâtre de rue.

ADRESSE Temple Bar, Fownes Street et Crown Alley, Dublin 2
MAÎTRE D'OUVRAGE Temple Bar Properties
INGÉNIEUR DE STRUCTURE Roughan and O'Donovan Engineers
COÛT £IR 1,1 million
AUTOBUS/TRAIN centre ville
ACCÈS libre

Group 91 (Grafton Architects) 1995

Group 91 (Grafton Architects) 1995

Temple Bar Gallery and Studios
(Galerie et ateliers de Temple Bar)

Un groupe d'ateliers d'artistes existait depuis plus de dix ans sur ce site, qui est l'un des centres de création développés dans le quartier pendant les années de planification néfaste. Conformément aux objectifs fixés par la reconstruction de Temple Bar, les ateliers et la galerie préexistants ont été reconstruits et réoccupés par les anciens locataires, améliorant ainsi les équipements tout en assurant la continuité de l'utilisation. Cette sensibilité s'exprime aussi dans les bâtiments car la réhabilitation d'un grand îlot urbain dégradé conserve ce qui est utile et ne reconstruit que les éléments qui l'exigent. Il en résulte une masse hybride de constructions dont les façades donnent sur trois rues et il est difficile de distinguer où finit l'ancien et où commence le neuf.

À l'intérieur, trente ateliers d'artistes (fonctionnant sur une base non lucrative) sont rassemblés autour d'un hall central à éclairage zénithal et d'un escalier accessibles par Lower Fownes Street. Temple Bar Gallery se trouve aussi au rez-de-chaussée. L'angle qui donne sur Temple Bar Square a une hauteur de quatre étages pour s'harmoniser à l'échelle de l'espace à ciel ouvert, et se réduit à trois étages sur le côté étroit de Temple Bar. Un appui de fenêtre en béton faisant saillie sert de corniche pour souligner l'angle. La palette des matériaux – enduit blanc, portes et fenêtres métalliques – répercute l'esthétique industrielle du bâtiment d'origine (une usine de chemises) et des environs. La ligne des toits est fragmentée en ce que les architectes appellent « un nouveau paysage de formes prismatiques dérivées de la peinture cubiste du début de la période moderne ». Les élévations font preuve du même effort en faveur du contenu artistique, avec des panneaux colorés à la Mondrian et d'autres éléments arbitraires ajoutés à des angles de tailles différentes. On éprouve en somme un sentiment du triomphe du style sur le contenu, les

McCullough and Mulvin Architects 1994

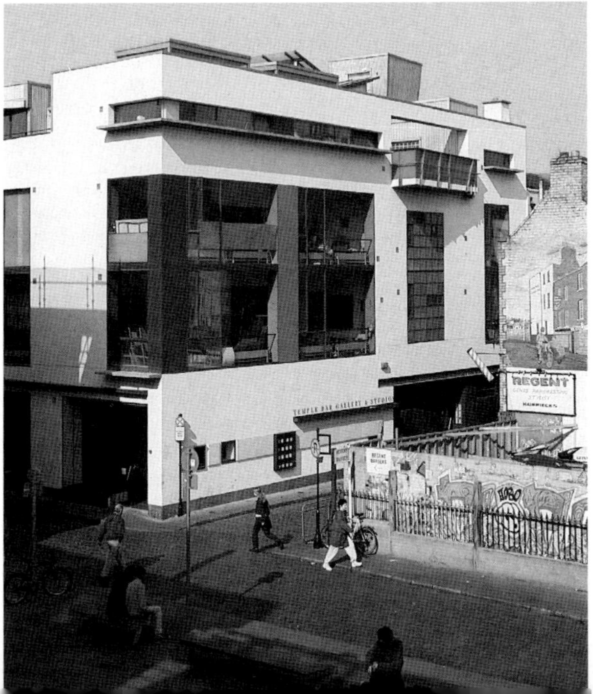
TEMPLE BAR GALLERY & STUDIOS
REGENT

préoccupations architecturales des concepteurs étant prioritaires sur des questions plus prosaïques comme l'ensoleillement, l'intimité et la dégradation.

Une robustesse spéciale dans les intérieurs laisse penser qu'ils stimuleront une interaction créatrice entre les artistes et leurs espaces de travail. L'escalier central aux dimensions généreuses abrite des toilettes et des espaces de réunion et de rencontre fortuite entre les occupants du bâtiment. Un puits ovale perçant cet espace central permet de monter et de descendre de grandes toiles et laisse entrer la lumière du jour tout en assurant un lien visuel entre les étages. Les portes du dernier étage de l'escalier recouvert d'un toit en forme de papillon de verre donne sur les terrasses du toit.

ADRESSE 5-9 Temple Bar, Dublin 2
MAÎTRE D'OUVRAGE Temple Bar Properties
INGÉNIEUR DE STRUCTURE Kavanagh Mansfield
COÛT £IR 1,1 million
AUTOBUS/TRAIN centre ville
ACCÈS du lundi au samedi, de 10 h à 18 h ; le dimanche de 14 h à 18 h

Ateliers d'impression de Black Church et galerie d'affiches

Les Black Church Print Studios et les Temple Bar Studios voisins, également par McCullough et Mulvin (voir p. 152), ont été construits parallèlement mais les Print Studios constituent un ouvrage plus substantiel. Ce sont trois étages d'ateliers de gravure avec au rez-de-chaussée l'Original Print Gallery, de grande hauteur sous plafond, qui est un centre d'information et de pédagogie. La façade étroite sur la rue est un chef-d'œuvre, avec un panneau plein en pierre (qui traduit une rangée de petites pièces subsidiaires à l'intérieur) contrastant avec les ateliers même, vitrés du sol au plafond. Les motifs dentelés de la maçonnerie et le quadrillage des fenêtres évoquent les œils de caractère de l'imprimeur. Le dernier étage en retrait crée une petite terrasse et permet d'harmoniser le bâtiment aux lignes des parapets voisins. Au rez-de-chaussée, la galerie dissimule son espace de grande hauteur sous plafond derrière un lourd treillis de béton, percé d'une colonne bleue habilement disposée.

L'architecture moderne en Irlande est traditionnellement un bastion de Mies van der Rohe mais ces ateliers sont une bouffée de pur Le Corbusier. Extérieurement, ils reflètent ses maisons des années 1930 mais à l'intérieur ils passent au béton brut de la Tourette. Sur l'élévation postérieure que l'on voit le mieux de l'escalier des Temple Bar Studios voisins, la cage d'escalier en colimaçon ajoute une pointe de Ronchamp pour la bonne mesure.

ADRESSE 4 Temple Bar, Dublin 2
MAÎTRE D'OUVRAGE Temple Bar Properties
INGÉNIEUR DE STRUCTURE Kavanagh Mansfield
COÛT £IR 330 000
AUTOBUS/TRAIN centre ville
ACCÈS galerie aux heures d'ouverture des magasins ; ateliers sur rendez-vous

McCullough and Mulvin Architects 1994

McCullough and Mulvin Architects 1994

The Green Building
(le bâtiment vert)

De la place devant Central Bank, regardant vers l'ouest, la ligne des toits est animée par l'apparition d'une rangée d'hélices et de panneaux solaires dépassant les cheminées et les combles en mansarde plus traditionnels. Ces symboles d'autosuffisance marquent l'emplacement du Green Building, utilisant l'énergie de manière rationnelle sur un site urbain dense ne mesurant que 11 mètres de large et 26 de profondeur. Un mélange de magasins, bureaux et logements, réunis autour d'une cour centrale aux dimensions décroissantes, s'y entasse. Ce mélange dense a été réalisé selon un programme écologique imposé : aération naturelle, sources d'énergie durables, variées et efficaces, matériaux recyclés et dégagement minimum de gaz carbonique. Respecter toutes ces conditions dans un site non bâti serait déjà difficile mais c'était fort ambitieux de l'avoir fait dans le cœur médiéval dense de Temple Bar, et conformément à des instructions commerciales directes.

Les boutiques occupent sous-sol et rez-de-chaussée que surmonte un étage de bureaux. Puis ce sont trois étages d'appartements (huit au total). Une cour centrale en éventail dotée d'un ascenseur indépendant est le pivot de l'agencement et assure l'éclairage naturel et l'aération du plan profond. (L'été, grâce à l'effet de cheminée, l'air entre par le bas et monte jusqu'au toit de verre pour l'aération. L'hiver, l'air froid pénètre au niveau du toit dans un tuyau de toile suspendu dans la cour, d'où il descend au niveau du sous-sol pour apporter un minimum d'air frais).

Le bâtiment est chauffé par des panneaux solaires combinés à un système de recyclage de l'eau de la nappe phréatique grâce à une pompe à chaleur. Des panneaux photovoltaïques fixés sur le toit et des génératrices actionnées par le vent fournissent l'électricité et l'eau de pluie est recyclée, de même que tous les déchets. Des plantes et une fontaine sont disposées de façon à réoxygéner l'air et on utilise aussi les stratégies plus traditionnelles d'économie

Murray O'Laoire Associates 1994

Murray O'Laoire Associates 1994

d'énergie qui font appel à l'isolation lourde et à la structure massive. Les modèles informatiques indiquent que le bâtiment devrait économiser 80 % d'énergie par rapport à un édifice équivalent de modèle courant.

Les contraintes du site posent inévitablement quelques problèmes. On s'interroge sur l'efficacité de l'aération des chambres qui donnent sur le puits de lumière et sur l'impact de l'ascenseur voisin. L'aération estivale aspirant l'air au niveau de la rue aspire vraisemblablement les gaz d'échappement par la même occasion. Comme cet air traverse un magasin ouvert sur la cour, il faut espérer que le locataire n'en sera pas un aromathérapeute ou un disquaire !

Architecturalement parlant, le désir habituel des architectes « verts » d'adopter des formes expressionnistes n'a pas été satisfait et les façades sur la rue principale sont des volumes contextuels judicieux qui expriment leur destination intérieure et sont animés par des fenêtres en saillie. Le bâtiment se distingue par l'utilisation d'objets d'art sur le thème du recyclage. Les grilles d'entrée sont de Remco de Fau et Maud Cotter, et James Garner est l'auteur des enveloppes de cuivre des colonnes faites avec des canalisations de réemploi. Les balustrades de ses balcons utilisent des vieux cadres de bicyclette, ce qui ajoute une dimension nouvelle au terme « recyclage » ! À l'intérieur, les appareils d'éclairage sont faits à partir de tubes de télévision et les cuisines sont équipées de pin recyclé et de carreaux de terre cuite.

ADRESSE Crow Street et Temple Lane South, Temple Bar, Dublin 2
MAÎTRE D'OUVRAGE Temple Bar Properties
INGÉNIEUR DE STRUCTURE DBFL
COÛT £IR 1,5 million
AUTOBUS/TRAIN centre ville
ACCÈS aux magasins du rez-de-chaussée uniquement

Murray O'Laoire Associates 1994

Murray O'Laoire Associates 1994

Aménagement mixte de Spranger's Yard

Sur un site bien en vue à côté de Central Bank, Spranger's Yard est un autre terrain disponible aménagé par Temple Bar Properties en habitations et petits commerces. Il représente une approche très différente des questions discutées par le Group 91. C'est un exercice de style « pittoresque » sur le thème de l'aménagement habituel « au-dessus des magasins », avec 13 boutiques au rez-de-chaussée et 27 appartements de trois pièces aux plans identiques sur trois étages. Les appartements bordent une cour arrière étroite. Les élévations sont basées sur la rue irlandaise traditionnelle, avec des couleurs, des types et emplacements de fenêtres ainsi que des avant-toits aux variations arbitraires. Les angles sont chanfreinés et équipés de balcons et l'ensemble reproduit l'aspect probable de la rue il y a un siècle (en faisant abstraction de la sculpture métallique moderne de la façade qui ressemble à des cheveux dressés sur la tête !). Le bâtiment reflète parfaitement l'échelle et la contexture du quartier – et on a déjà l'impression qu'il a toujours existé. Si on compare ce projet avec The Printworks (p. 164) ou le Green Building (p. 158), la différence principale réside dans les ambitions respectives. Contrairement à BKD, les architectes s'efforcent d'élaborer des types de construction qui satisfassent toute la gamme des problèmes urbains – intimité, pénétration de la lumière du jour, pourtour, hiérarchie des espaces public et privé. Pour réussir à repeupler le vieux centre ville, il faut accorder la même importance à ces questions qu'aux considérations esthétiques de façade et de forme comme c'est le cas ici.

ADRESSE Fownes Street, Crow Street, Temple Bar, Dublin 2
MAÎTRE D'OUVRAGE Temple Bar Properties
INGÉNIEUR DE STRUCTURE DBFL
COÛT £IR 2 millions
AUTOBUS/TRAIN centre ville
ACCÈS ne se visite pas

Burke-Kennedy Doyle and Partners 1995

Burke-Kennedy Doyle and Partners 1995

The Printworks (imprimerie pour étoffes) : aménagement mixte

L'élévation raffinée donnant sur Essex Street East dissimule un autre exercice complexe de restauration et de rénovation urbaines. La façade de brique rouge emboîte le pas à ses voisines géorgiennes mais elle est subtilement modernisée par des fenêtres et des balustrades métalliques et par une devanture revêtue de granite au niveau de la rue. Le centre d'intérêt est une fente d'entrée à deux niveaux, signalée par une fenêtre d'angle au premier étage. Une porte pour piétons mène ici à une volée d'escaliers raide dont la hauteur cache mystérieusement la destination – une cour d'entrée surélevée de type méditerranéen, entourée de dix petits appartements de types divers.

De tous les projets à usage d'habitation du Group 91 à Temple Bar, Printworks est le plus représentatif de sa volonté de prouver que « vivre au-dessus d'un magasin » est une forme de logement viable et séduisante pour le vieux centre ville. Pendant la plus grande partie du XXe siècle, le centre de Dublin s'est régulièrement dépeuplé, les résidents allant s'installer en banlieue : la classe moyenne au sud et la classe ouvrière au nord, dans les nouvelles tours d'habitation. La conséquence inéluctable en a été la détérioration du parc de logements, notamment du tissu géorgien dont est fait Dublin. La dégradation a été accentuée par les autorités publiques, notamment les pompiers, qui ont insisté sur le fait que les logements surmontant des magasins en rez-de-chaussée présentent un risque d'incendie. Le problème fut exacerbé par les propriétaires des boutiques qui, peu disposés à assumer les complications de la location, préférèrent laisser vides les étages supérieurs de leurs locaux. Dublin est jonchée d'exemples de bâtiments géorgiens qui ont été démolis à partir du premier étage – triste rappel de cette attitude bornée. À la fin des années 1980, les architectes progressistes du Group 91 accordèrent la priorité

Group 91 (Derek Tynan Architects) 1994

absolue au renversement de cette tendance. Dans leur désir de sauver Dublin de l'obsession des édiles pour la banlieue, ils consacrèrent énormément de réflexion et d'invention à des formes et à des modèles différents. Les aménagements de Temple Bar furent leur première occasion de mettre ces théories en pratique.

Le principal type urbain développé fut la cour. Surélevée sur un soubassement d'espaces commerciaux en rez-de-chaussée relié à la rue et accessible par des escaliers, elle faisait partie d'une promenade architecturale qui allait de la rue publique aux appartements privés en passant par la cour d'entrée semi-publique. Les jardins sur les toits et les balcons appartenant aux logements fournissaient des espaces d'agrément parmi les toits où l'on pouvait exploiter la lumière du soleil et le panorama. Cette notion romantique d'un monde secret de lumière et de paix dominant l'agitation et le vacarme de la rue est une vision irrésistible, bien qu'elle soit difficile à mettre en pratique à cause de problèmes plus banals comme le surplombement et le manque d'intimité.

Le modèle de la cour est celui qui fut choisi pour Printworks. Les architectes considéraient aussi le projet comme un « modèle de ville » – une illustration du cycle de la construction, de l'adaptation et du renouvellement en microcosme. Cette approche apparaît dans l'élévation donnant sur Temple Lane où les couches superposées de l'aménagement se voient clairement. Ici, une façade préexistante conservée forme un socle de deux étages de commerces surmonté d'une rangée de trois duplex. Il semble toutefois que la conservation de cette façade ait été régie dans une certaine mesure par une volonté de continuité urbaine et non par une qualité architecturale intrinsèque, et en réalité le projet a peut-être été avantagé par un nouveau plan.

Group 91 (Derek Tynan Architects) 1994

Derrière la façade conservée, Derek Tynan a aménagé la carcasse commerciale en nouveaux studios de stylisme pour le couturier John Rocha. Utilisant le langage minimaliste et sobre de la galerie d'art moderne, un complexe d'espaces imbriqués à grande hauteur sous plafond et de plans se chevauchant a été construit avec un minimum d'élaboration dans les détails.

La façade antérieure en brique rouge s'insère confortablement dans le contexte de la rue. En revanche, la cour d'entrée surélevée est un monde moderniste d'enduit blanc, de fenêtres et de ferronnerie en acier noir et de placage de zinc. La conception des appartements est soigneusement contrôlée pour protéger l'intimité tout en laissant pénétrer le soleil et la lumière (en aménageant des profils complexes), notamment dans les duplex dont les espaces à vivre ont une grande hauteur sous plafond.

Le projet démontre très clairement la faisabilité, et même les avantages, de vivre au coeur de la ville, et comment, avec de l'imagination et du talent, on peut tirer parti même du site le plus étroit et le moins prometteur.

ADRESSE 25 Essex Street, 26-27 Essex Street East, 12-13 Temple Lane, Dublin 2
MAÎTRE D'OUVRAGE Temple Bar Properties
INGÉNIEUR DE STRUCTURE Thorburn Colquhoun
COÛT £IR 850 000
AUTOBUS/TRAIN centre ville
ACCÈS ne se visite pas

Group 91 (Derek Tynan Architects) 1994

Group 91 (Derek Tynan Architects) 1994

The Granary Apartments

Si ce sont les bâtiments voisins de ce projet – Curved Street et « The Ark » Children's Cultural Centre – qui retiennent l'attention, la rénovation urbaine repose aussi sur des opérations plus discrètes mais néanmoins importantes. La contexture générale du quartier de Temple Bar et l'essentiel de son charme et de sa personnalité sont créés par le tissu conservé du XIXe siècle, notamment les entrepôts de brique. Ils offrent en outre le potentiel nécessaire pour les « loft », le type de logement urbain le plus recherché de la fin du XXe siècle dont le Granary est le premier exemple à Dublin.

Deux vieilles carcasses d'entrepôt ont été soigneusement rénovées avec de grands espaces à vivre non compartimentés, laissant la structure et les volumes d'origine pratiquement intacts. Il y a en tout six nouveaux appartements, surmontés d'un toit en terrasse commun qui offre de superbes panoramas sur le quartier. La terrasse est équipée d'une pergola ombragée et d'une cheminée extérieure, ce qui en fait une véritable pièce en plein air. Un magasin modeste occupe le rez-de-chaussée.

L'allure d'entrepôt a été soigneusement préservée : les anciennes aires de chargement conservées sont devenues des volets extérieurs et divers appareils de levage et vestiges industriels ont été laissés sur place. Le résultat est discret mais les Granary Apartments et d'autres projets analogues constituent la toile de fond indispensable sur laquelle peuvent se détacher les morceaux d'architecture.

ADRESSE 20 Temple Lane, Temple Bar, Dublin 2
MAÎTRE D'OUVRAGE Temple Bar Properties
INGÉNIEUR DE STRUCTURE O'Connor Sutton Cronin
AUTOBUS/TRAIN centre ville
ACCÈS ne se visite pas

Peter Twamley 1995

CYBERIA
CAFE

Arthouse Multimedia Centre for the Arts

(centre multimédia pour les arts)

La nouvelle Curved Street perce l'îlot urbain entre Temple Lane South et Eustace Street permettant à l'itinéraire est-ouest de rejoindre Meeting House Square. Bien qu'apparentés, les deux nouveaux bâtiments qui composent la rue sont en réalité l'œuvre d'architectes différents. Du côté sud, le centre multimédia, créé pour étudier les possibilités de l'informatique dans le domaine des arts, prétend être le premier du genre au monde. Parmi ses aménagements collectifs figurent un espace de spectacles en sous-sol (sous la route même), des zones d'exposition, une bibliothèque informatisée et Cyberia, le café Internet. De même que la plupart des édifices de Temple Bar, celui-ci est une combinaison de constructions nouvelles et anciennes.

Arthouse et le Centre Musical en face (voir p. 176) ont été clairement conçus en étroite collaboration par leurs architectes respectifs qui ont utilisé un répertoire commun de matériaux et de formes pour créer une œuvre moderne des années 1930 nettement influencée par Le Corbusier. Finie l'époque où le grief principal contre l'architecture moderne était que les bâtiments urbains ignorent leur contexte. Ceux-ci sont peut-être habillés dans le Style International mais ils s'harmonisent à leur environnement, suivent l'alignement de la rue, la hauteur des parapets, et l'échelle et la contexture du quartier, créant ainsi un modèle d'urbanisme.

Les façades des deux bâtiments se conforment aux grandes proportions de la largeur de leur terrain commun avec des ouvertures murales d'échelle tout aussi compatible. La rue elle-même est plus unifiée et horizontale avec des ouvertures vitrées, grandes et petites, disséminées sur les façades. Les deux entrées se font face au centre de la rue. Elles sont surmontées de grandes ouvertures vitrées en forme de grands écrans coulissants dans le style des entrepôts permettant l'interaction entre les bâtiments et la rue quand ils sont ouverts. Arthouse est aussi équipé d'un palonnier, à la fois élément fonctionnel

Group 91 (Shay Cleary Architects) 1995

Group 91 (Shay Cleary Architects) 1995

et référence au contexte. Des balustrades ont été installées sur les bords du bâtiment pour servir de support aux annonces lumineuses signalant les manifestations, aux drapeaux et à un store de toile qui déborde sur la rue.

Arthouse annonce son message avec des rangées d'écrans vidéo de part et d'autre de l'entrée, intensifiant l'interaction avec la rue. Les larges fenêtres au-dessus de l'entrée laissent supposer un atrium aussi grand à l'intérieur, attente qui est d'abord frustrée car on entre par un hall étroit et bas de plafond. Plus loin, c'est le bureau d'information et un ascenseur panoramique en verre qui fait de nouveau espérer un vaste espace intérieur. À droite se trouve une zone d'exposition ; à gauche ce sont les escaliers qui descendent au studio et à l'unité de production en sous-sol (où s'est déroulé récemment un concert dont chaque musicien se trouvait dans un pays différent.)

L'architecture du chemin qui mène au premier étage est plus mouvementée, avec une passerelle et un escalier métalliques en face de la devanture haute de deux étages. Le vide de l'escalier est occupé par une autre de ces belles boîtes à pilules de forme libre inspirées de Meier et exécutées par Shay Cleary (voir aussi page 126). Cet escalier mène à l'atrium illusoire, l'espace autour duquel tourne la vie du bâtiment et qui abrite le café et sa batterie d'ordinateurs branchés sur Internet. L'espace dynamique monte en traversant trois étages jusqu'à un toit de verre où des escaliers et des passerelles métalliques relient les deux moitiés du bâtiment et offrent un excellent panorama sur cette intervention urbaine très réussie.

ADRESSE Curved Street, Temple Bar, Dublin 2
MAÎTRE D'OUVRAGE Temple Bar Properties
INGÉNIEUR DE STRUCTURE Thorburn Colquhoun
AUTOBUS/TRAIN centre ville
ACCÈS du lundi au vendredi de 10 h à 17 h 30

Group 91 (Shay Cleary Architects) 1995

Group 91 (Shay Cleary Architects) 1995

Temple Bar Music Centre

(Centre musical de Temple Bar)

Le Music Centre, groupement de sociétés semi-autonomes partageant des intérêts musicaux communs, occupe la moitié nord de la nouvelle Curved Street et il est complémentaire de l'Arthouse en face (voir page 172). Il a été conçu comme un centre pour l'industrie musicale irlandaise extrêmement prospère et lucrative – l'Irlande est la patrie de U2, Van Morrison, Sinéad O'Connor et bien d'autres encore – et pour aider la prochaine génération de ploutocrates de la musique. Le bâtiment abrite des studios d'enregistrement au sous-sol, MusicBase (centre d'information) aux premier et deuxième étages et une école de musique au troisième. Au rez-de-chaussée se trouve The Venue, une salle de spectacle de 340 places, et un bar-café. Ce mélange complexe de fonctions est abrité dans un mélange tout aussi complexe de constructions nouvelles et préexistantes, le plan devant respecter un dossier qui exigeait des entrées et des espaces distincts mais prévoyait aussi la possibilité d'interaction et de flexibilité entre eux. L'élévation sur la nouvelle Curved Street est le point de mire du groupement et localise les diverses entrées mais de grandes parties du complexe se trouvent derrière les façades conservées des entrepôts aux 10 et 11 Temple Lane.

La façade principale fait appel aux mêmes matériaux et aux mêmes formes que l'Arthouse pour créer le principal morceau d'architecture de la nouvelle rue dont les parties tracent une gracieuse courbe convexe avec une grande ouverture vitrée faite de fenêtres métalliques et de vitrages transparent et opaque. L'entrée principale est marquée par un balcon en saillie – évoquant à la fois ses propres portes coulissantes à grande échelle et celles de la façade de l'Arthouse en face – et un mur jaune vif prolongé de l'intérieur qui invite à entrer. Le mur d'entrée incurvé s'avère être un mur-écran à l'angle de Temple Lane, où une tranchée spectaculaire révèle

Group 91 (McCullough and Mulvin Architects) 1996

Group 91 (McCullough and Mulvin Architects) 1996

un escalier à éclairage zénithal qui constitue une des entrées secondaires. Le thème des façades écran entourant des objets individuels et des morceaux d'architecture s'étend à la totalité du bâtiment. Le plus vaste élément traité de la sorte est l'auditorium principal, une « boîte » insonorisée haute de trois étages et revêtue de jalousies d'acier noir. Cette « boîte » se trouve derrière l'élévation principale et les façades sur Temple Lane et elle est partiellement visible par les fenêtres tout en affirmant vigoureusement sa présence dans les espaces intérieurs. Ce jeu architectural se voit mieux le soir quand l'éclairage met en valeur la « boîte » mais l'effet a tendance à se perdre de jour quand le noir des jalousies disparaît dans l'ombre.

L'entrée principale est très prometteuse avec un mur jaune menant à une rampe longue et large qui plonge dans les entrailles sombres du bâtiment. Toutefois, l'axe puissant ne mène qu'à un escalier de secours et à un étroit foyer insonorisant à l'entrée de l'auditorium. L'entrée dans les lieux se fait en réalité en traversant le café de devant. Au-dessus de l'entrée, un espace de grande hauteur sous plafond donnant sur Curved Street d'un côté et sur une cour centrale de l'autre, permet d'apercevoir également de la rue la boîte ornée de jalousies qu'est l'auditorium.

ADRESSE Curved Street North, Temple Bar, Dublin 2
MAÎTRE D'OUVRAGE Temple Bar Properties
INGÉNIEUR DE STRUCTURE Ove Arup and Partners
COÛT £IR 2,5 millions
AUTOBUS/TRAIN centre ville
ACCÈS du lundi au vendredi de 10 h à 17 h 30 et lors des représentations

Group 91 (McCullough and Mulvin Architects) 1996

Group 91 (McCullough and Mulvin Architects) 1996

« The Ark » Children's Cultural Centre

(« L'arche », centre culturel pour les enfants)

« The Ark » est un centre d'activités pour les enfants, notamment les représentations. D'Eustace Street, on a l'impression d'entrer dans le Georgian Presbyterian Meeting House restauré (temple presbytérien géorgien) mais, contre toute attente, le bâtiment subit une transformation étonnante et présente un intérieur purement moderne. Seule la façade de l'ancien temple a été conservée, soutenue de l'intérieur par une armature de béton. La largeur totale de l'ancien bâtiment constitue un espace de grande hauteur sous plafond consacré à l'organisation matérielle des spectacles, devant un amphithéâtre semi-circulaire qui occupe toute la profondeur. À une extrémité du vestibule, un escalier descend à un espace de restauration avec une longue table de réfectoire pour les petites fêtes des enfants, couvert en partie par un plafond, en partie par une œuvre d'art de métal corrodé et de verre. Au-dessus de l'auditorium, le dernier étage, accessible par l'ascenseur, abrite un espace polyvalent pour l'artisanat, divisé par un ingénieux système de cloisons coulissantes et de portes. Cet étage est situé au-dessus de l'ancien mur de façade et en retrait pour diminuer l'impact de la rue. Ce n'est toutefois pas un procédé médiocre pour les combles mais un mur spectaculaire de verre qui se trémousse en ayant l'air de tenir tout seul, doté des lanterneaux en dents de scie de rigueur chez le Group 91, qui se prolongent dans l'espace à l'arrière.

À l'intérieur, l'architecture est à nu, tous les matériaux étant laissés inachevés et dans leur état naturel : béton brut, bois de construction, acier galvanisé, vieille brique. Ce parti leur donne une chaleur et une solidité généreuses et robustes (à l'antithèse du fragile « intérieur d'architecte ») et en fait des espaces de jeu idéaux pour les enfants. L'auditorium est à la mesure des enfants, avec des sièges découverts tout simples et un balcon. Les murs sont revêtus de panneaux de fibres perforés permettant la fixation de photographies. Les jeunes visiteurs, armés d'un appareil photo, les recouvrent rapidement !

Group 91 (Shane O'Toole et Michael Kelly) 1995

Group 91 (Shane O'Toole et Michael Kelly) 1995

D'autres idées inventives abondent, comme les fenêtres à hauteur d'enfant sur le balcon. Le plus théâtral est la façon dont tout le fond de la scène s'ouvre grâce à un mur spectaculaire qui se replie verticalement, conçu par Santiago Calatrava. Ouvert, il laisse voir Meeting House Square et permet d'utiliser la scène pour des représentations en plein air et en rond.

La nouvelle façade sur Meeting House Square est faite de la même brique rouge tendre que le Photography Centre voisin (voir page 184), les ouvertures en dent de scie formant une ligne des toits caractéristique. Une travée en saillie en forme de soufflet abrite la scène, et son cuivre pré-patiné forme une avant-scène extérieure. À l'extérieur, un butoir d'angle en granite noir est directement inspiré de la Bourse d'Amsterdam par Berlage. Malgré le déploiement de sophistication, l'élévation conserve la simplicité d'un dessin d'enfant et elle est révélatrice de la destination intérieure de l'édifice.

La pratique consistant à conserver les vieilles façades dans les constructions neuves a de nombreux détracteurs qui estiment qu'elle dévalue l'intégrité du nouvel ouvrage et ne sert qu'à apaiser le lobby de la préservation. « The Ark » contredit catégoriquement cette position en utilisant une belle façade ancienne pour instaurer un dialogue avec les nouveaux ouvrages, ce qui enrichit l'expérience architecturale et assure la continuité au sein des processus de renouveau dans la ville. Sa façade sur Meeting House Square, satisfait ceux qui estiment toujours qu'un bâtiment neuf doit avoir une façade neuve.

ADRESSE 11A Eustace Street, Temple Bar, Dublin 2
MAÎTRE D'OUVRAGE Temple Bar Properties
INGÉNIEUR DE STRUCTURE KML
COÛT £IR 2,4 millions
AUTOBUS/TRAIN centre ville
ACCÈS libre

Temple Bar

Group 91 (Shane O'Toole et Michael Kelly) 1995

National Photography Centre et Gallery of Photography

(Centre national de la photographie et galerie de photographie)

La monumentalité n'est pas l'apanage de la grande échelle, comme l'a souvent souligné James Stirling, le premier mentor de John Tuomey. C'est ce qu'illustre le nouveau National Photography Centre, le bâtiment neuf le plus monumental de Temple Bar. En venant d'Essex Street East, sa forme séduisante et sa brique d'un rouge chaud sont presque écrasantes et son entrée basse et arquée semble comprimée par le poids de la construction qui la surmonte. Les murs tombent à pic sur la rue et il n'y a pas de marches ou d'autre prise en compte traditionnelle de l'étroit passage qui mène à Meeting House Square. Les fenêtres en bandes, profondément encastrées, avec des colonnes rondes et trapues et des formes sculptées revêtues de zinc, accentuent la massivité du mur et créent un sentiment de magnificence à la romaine. Les morceaux de pierres d'angle disséminés parmi les briques et la suppression de détails traditionnels comme les appuis de fenêtre renforcent l'illusion d'une construction plus ancienne.

Le centre se divise en deux parties distinctes : un bâtiment de brique rouge qui abrite les archives photographiques de la National Gallery et une école de photographie et, de l'autre côté de Meeting House Square, la galerie de photographie. Celle-ci, « bâtiment-objet » tout aussi énigmatique revêtu de pierre de Portland, cache le mur latéral de l'ancien Irish Film Centre (centre du film irlandais, autre réalisation de O'Donnell et Tuomey, voir page 194). Les bâtiments des deux côtés de la place sont liés, à juste titre, par la lumière : on peut projeter des films en plein air à partir du centre de la photographie sur la galerie d'en face dont la grande fenêtre centrale fait office d'écran.

À première vue, les formes architecturales semblent avoir été choisies arbitrairement mais elles appartiennent en fait à un vocabulaire personnel

Group 91 (O'Donnell and Tuomey Architects) 1996

Group 91 (O'Donnell and Tuomey Architects) 1996

élaboré par les architectes qui se sont particulièrement intéressés à l'impact psychologique et à l'utilisation métaphorique de la forme. Par exemple les entailles pratiquées dans l'angle droit de la façade de la galerie font allusion aux perforations des films et la forme en coin de la fenêtre du rez-de-chaussée évoque le passage de la lumière à l'obscurité qui se produit dans la chambre noire d'un photographe ou au cinéma. L'utilisation d'un langage extrêmement personnalisé prête toutefois à confusion – ici les élévations de la galerie suggèrent à tort que le sol de l'auditorium est en pente.

Les étages supérieurs du Photography Centre abritent la DIT School of Photography (école de photographie) et sa collection de chambres noires, studios et espaces pédagogiques. Ces utilisations ont confronté O'Donnell et Tuomey à une contradiction fondamentale – entre la volonté architecturale de lumière et d'ouvertures, et le besoin d'obscurité du client (pour les travaux photographiques comme pour la conservation des archives). Cette antinomie a été résolue en pratiquant des ouvertures dans les murs extérieurs et en les remplissant d'un placage de zinc. Sur le bâtiment principal, les grandes ouvertures au niveau du toit indiquent l'emplacement des studios photographiques; mais ici au moins des panneaux de remplissage légers offrent la possibilité d'ouvrir des fenêtres ultérieurement.

De l'autre côté de la place, la galerie abrite des espaces pour les expositions de photographies et manifestations apparentées : conférences et ateliers. L'entrée se trouve sur le côté, à la pointe de la fenêtre en forme de coin qui mène à une librairie au rez-de-chaussée. La galerie principale, au-dessus, est accessible par une cage d'escalier en verre opaque. C'est un espace de grande hauteur sous plafond, annoncé sur l'élévation principale par la grande fenêtre qui fait également office d'écran de projection

Group 91 (O'Donnell and Tuomey Architects) 1996

extérieur. La salle principale a un profil complexe avec des lucarnes masquées et des panneaux d'exposition pliants; des balcons avec des petites pièces offrent toute une gamme de possibilités d'accrochage. L'escalier continue à monter jusqu'à une terrasse sur le toit qui offre un panorama sur la place en contrebas.

La façade revêtue de granite, petite mais élégante, jouxtant l'entrée de la galerie, relie la place et les nouveaux bâtiments à la succession complexe d'espaces de l'Irish Film Centre voisin, ce qui amplifie la richesse de l'expérience en matière de paysage urbain. Cette richesse, qui constitue l'essence même de la ville, est également manifeste dans la différence entre ces deux bâtiments réalisés par les mêmes architectes – une différence remarquée par le directeur de la librairie de la galerie qui, rencontrant John Tuomey à l'inauguration, se mit à le féliciter pour l'excellente galerie et à exprimer son soulagement de n'avoir pas hérité des architectes du bâtiment des archives de l'autre côté de la place. La réponse de Tuomey n'a pas été notée...

ADRESSE Meeting House Square, Temple Bar, Dublin 2
MAÎTRE D'OUVRAGE Temple Bar Properties
INGÉNIEUR DE STRUCTURE Muir Associates
COÛT £IR 2,4 millions
AUTOBUS/TRAIN centre ville
ACCÈS libre

Group 91 (O'Donnell and Tuomey Architects) 1996

Meeting House Square et bâtiment polyvalent

Meeting House Square, le deuxième vaste espace extérieur nouvellement aménagé sur l'itinéraire est-ouest qui traverse Temple Bar, est entouré de toutes parts de centres culturels nouveaux ; « The Ark » Children's Centre (page 180), le National Photography Centre et la Gallery of Photography (page 184) dialoguent tous directement avec la place. (Le théâtre de l'« Ark » a une avant-scène extérieure et le Photography Centre a une cabine de projection plaquée de zinc à laquelle correspond un écran extérieur sur la façade de la galerie pour les séances de cinéma en plein air). Le côté est, formé de deux nouveaux bâtiments polyvalents avec un café et des magasins s'ouvre sur la place.

Il est prévu que l'itinéraire est-ouest parte de Curved Street, traverse la nouvelle ouverture jouxtant « The Ark », puis soit dévié vers le sud par la place pour rejoindre Essex Street East. Un nouvel itinéraire piétonnier – le pont Poddle – devait ici traverser le fleuve mais sa réalisation n'est malheureusement plus à l'ordre du jour. Un itinéraire secondaire continue à l'ouest de la place pour rejoindre l'Olympia Theatre et le Project Arts Centre. Ce groupement important constitue un point culturel névralgique dont on espère qu'il attirera sur la place le théâtre de rue et autres manifestations dans le style de Beaubourg. Il forme aussi une opposition architecturale, toute unité esthétique potentielle étant sacrifiée sur l'autel de l'expression libre.

Paul Keogh, l'architecte chargé à la fois de l'urbanisme de la place et du bâtiment polyvalent, avait été à la tête de la tendance régionaliste des années 1980. À maints égards, c'est lui qui, de tous ses contemporains, s'est rapproché le plus de l'esprit d'un classicisme irlandais dans une série de petits projets inspirés d'Aldo Rossi. Même son plus vaste projet à ce jour, le Club de golf de Charlesland (voir page 282), est régi par le même rationalisme simple, notamment dans le plan. Ce bâtiment polyvalent illustre toutefois

Group 91 (Paul Keogh) 1995

un changement de style surprenant mais son « nouvel idiome moderne », plus conventionnel, n'a ni la conviction du style personnalisé de O'Donnell et Tuomey ni la bravoure du Children's Theatre de Shane O'Toole. La forme du bâtiment est fragmentée par le site. Le magasin, coupé du bloc principal par la sortie ouest de la place, devient un prolongement de l'ancienne bibliothèque du Film Centre et est réalisé d'une manière complémentaire. L'extrémité nord du bâtiment principal est constituée par un petit bâtiment préexistant dont la façade donnant sur la place a été refaite. Entre les deux, le nouveau bâtiment doit résoudre les changements d'échelle, les géométries différentes et la signification urbaine de la rue et de la place, ainsi qu'un mélange complexe d'espaces intérieurs – en d'autres termes, il doit être une structure robuste et simple dans la tradition de Keogh. Les dessins publiés avant la construction montraient exactement ce bâtiment – pourvu de loggias côté place et au niveau du toit. Mais un changement ultérieur du plan a abouti à l'élargissement des locaux au détriment de la clarté. Le restaurant de grande hauteur sous plafond avec son mur vitré côté place est néanmoins un bel espace qui animera le quartier. Au niveau supérieur, un toit en forme de papillon et une fenêtre centrale indiquent un espace intérieur important occupé par la Gaiety School of Acting (école de théâtre).

La place elle-même est simplement dallée de granite avec un motif central circulaire qui répond aux divers axes de l'espace.

ADRESSE Meeting House Square West, Temple Bar, Dublin 2
MAÎTRE D'OUVRAGE Temple Bar Properties
INGÉNIEUR DE STRUCTURE Muir Associates
COÛT £IR 917 000
AUTOBUS/TRAIN centre ville
ACCÈS zones publiques seulement

Group 91 (Paul Keogh) 1995

Group 91 (Paul Keogh) 1995

Irish Film Centre

(Centre du film irlandais)

L'Irish Film Centre a servi de modèle au projet de Temple Bar car il fut conçu et bâti bien avant que le plan général ne soit né dans l'esprit de Charlie Haughey. Quand le plan en vint à être soulevé, le Film Centre était déjà un exemple bien vivant de l'attitude du Group 91 à l'égard de la réhabilitation et de la rénovation urbaines. Il joua donc un rôle important dans la décision de laisser un groupe d'architectes inconnus participer au concours d'origine. L'agencement du Film Centre prévoyait même la création de Meeting House Square bien avant qu'il soit envisagé d'aménager la place.

O'Donnell et Tuomey essayaient de construire le Film Centre depuis 1985 et ils avaient conçu des projets pour divers emplacements avant que le site actuel ne soit acheté aux Quakers qui avaient acquis toute une série de bâtiments au cours des ans. Les bâtiments existants présentaient divers avantages et inconvénients : les deux cinémas s'intégraient parfaitement entre les espaces préexistants mais les locaux étaient coincés au milieu d'un ilôt immobilier sans façade principale sur la rue. En fin de compte, on a habilement tiré parti de ces contraintes sévères dans un tour de force de création de « paysage urbain ».

Le projet représente une étude de cas figurant dans la thèse d'origine de Gordon Cullen sur le « paysage urbain ». L'entrée sur Eustace Street, marquée par une enseigne au néon, est un étroit tunnel menant à un espace plus vaste et plus lumineux que l'on ne voit qu'en arrivant au bout. Ce dispositif établit un lien entre des éléments séparés, encourageant l'anticipation et l'exploration. Le sol de verre (censé être la métaphore d'une bande de film) qui relie l'entrée à l'espace central renforce cette impression. Le passage voûté en berceau mène à la principale cour centrale dont la façade principale est cachée jusqu'à ce qu'on y arrive. Pour les cinéphiles, c'est là que se trouvent le guichet, l'entrée du cinéma, le bar, le restaurant et le

O'Donnell and Tuomey Architects 1992

O'Donnell and Tuomey Architects 1992

magasin. L'espace au toit de verre ressemble à un extérieur, avec une nouvelle « façade » qui évoque à bon escient un décor de cinéma. L'entrée du cinéma principal est derrière un mur enduit de bleu.

Pour ceux qui utilisent le centre comme un raccourci pour traverser le pâté de maisons, une porte dans le magasin donne accès à l'autre côté. Cette porte s'ouvre sur une colonnade haute et étroite menant à Meeting House Square. Un changement de niveau accentue le contraste entre l'enceinte sombre de l'arcade et la place dégagée et lumineuse et donne aussi une vue « aérienne » de la place en entrant. Ou bien, en passant entre les colonnes de l'arcade, on arrive à une petite cour située devant les nouvelles archives du film et la bibliothèque. De là, des marches descendent vers Sycamore Street, bien que le parcours soit entravé par une étroite grille de sécurité en bas.

Une fois sur la place, on voit en se retournant une façade maniérée revêtue de calcaire. Par les fenêtres de la salle de projection, la lumière vacillante du projecteur apporte une note poétique et théâtrale au panorama nocturne.

La complexité spatiale et la diversité de cette promenade architecturale sont complétées à chaque pas par le dialogue matériel entre l'ancien et le nouveau, les détails élégants et même stylisés, et la chaleur des matériaux et des textures aux finitions naturelles.

ADRESSE Eustace Street, Temple Bar, Dublin 2
MAÎTRE D'OUVRAGE Irish Film Centre Ltd
INGÉNIEUR DE STRUCTURE Fearon O'Neill Rooney
COÛT £IR 1,8 million
AUTOBUS/TRAIN centre ville
ACCÈS ouvert tous les jours de 11 h à minuit

O'Donnell and Tuomey Architects 1992

DESIGNyard Applied Arts Centre

(Centre des Arts appliqués DESIGNyard)

Le centre des arts est abrité dans un entrepôt de porcelaine du XVIIIe siècle réaménagé. À l'extérieur, les briques à joints marqués soigneusement restaurées le distinguent des autres édifices de brique de la rue, et le même soin se manifeste à l'intérieur, avec des colonnes de fonte rétablies et des salles prévues de façon à respecter la structure et l'aménagement d'origine. On entre par une arcade de création récente, derrière laquelle se trouve une devanture de verre protégée de la rue par les étroites ouvertures de l'arcade. Le soir, celles-ci sont fermées par de nouvelles grilles conçues par Kathy Prendergast et basées sur des plans de la ville.

À l'intérieur, le regard est attiré vers le sol où un motif en mosaïque (représentant la rivière Poddle qui coule sous le bâtiment) serpente à travers la galerie des bijoutiers au rez-de-chaussée. Celle-ci est formée par l'espace préexistant de l'ancien bâtiment et ses vitrines sont discrètes. Derrière la galerie, une ancienne cour a été recouverte d'un toit de toile pour faire place à l'escalier en colimaçon qui évite ainsi d'influer sur l'ancienne structure.

À l'étage, la galerie des meubles qui occupe le plancher de l'ancien bâtiment est l'un des meilleurs endroits de la ville pour les créations irlandaises contemporaines. C'est à plusieurs niveaux un exemple typique des restaurations contemporaines, malgré son allure froide due au fait que l'ancien et le neuf se témoignent plus de respect que d'empathie.

ADRESSE 12 Essex Street East, Temple Bar, Dublin 2
MAÎTRE D'OUVRAGE Temple Bar Properties
INGÉNIEUR DE STRUCTURE Thomas Garland and Partners
COÛT £IR 500 000
AUTOBUS/TRAIN centre ville
ACCÈS du lundi au samedi, de 10 h 30 à 17 h 30

Felim Dunne and Associates et Robinson Keefe and Devane 1994

Felim Dunne and Associates et Robinson Keefe and Devane 1994

Le Kitchen Nightclub

C'est la boîte de nuit la plus décontractée de Dublin, d'autant plus qu'elle appartient au groupe de rock U2. La conception est basée, selon l'architecte, sur l'atmosphère d'une boucherie des années 1950 : sols de terrazzo, détails d'acier inoxydable hérissés de pointes, plans de travail en hêtre, et murs et plafonds sculptés en formes libres, apparemment faits dans une « substance molle comme du fromage ».

Le hall d'entrée tapissé de cuir préfigure la suite. En le traversant, on descend par un escalier à un monde souterrain surréaliste où Dali rejoint Peter Greenaway. Le sol est en pente, les murs s'incurvent, le plafond baisse et plonge – avant même que l'on n'ait absorbé la moindre goutte d'alcool ! Des rideaux de daim dans le style kitsch de *Twin Peaks* recouvrent les murs d'une myriade de petites alcôves et renfoncements et le bar long de 10 mètres a des fibres optiques bleues qui font luire la boisson comme si elle était radioactive. Un fossé entoure une piste de danse équipée d'une sonorisation capable de transmettre la musique à une puissance hallucinante de 128 décibels. Pour assurer une isolation acoustique totale avec le Clarence Hotel au-dessus, il a fallu installer des couches de laine minérale et une épaisse couche de plomb, ce qui en fait l'abri le plus sûr de Dublin au cas où une bombe atomique tomberait sur la ville !

ADRESSE Clarence Hotel, Temple Bar, Dublin 2
MAÎTRE D'OUVRAGE U2
COÛT £IR 300 000
AUTOBUS/TRAIN centre ville
ACCÈS le soir

Ross Cahill-O'Brien and Associates Ltd 1994

Ross Cahill-O'Brien and Associates Ltd 1994

Le bar Porter House

Étant donné le rôle capital que joue le « pub » dans la vie des Dublinois, nous espérions trouver au moins un bon intérieur de bar moderne. Sans être le choix idéal, le Porter House a ses bons côtés. Il appartient à cette nouvelle race de pubs, la minibrasserie, qui fabrique sa propre bière sur place et utilise le processus comme « thème » de son plan. À l'extérieur, le contexte d'entrepôt de Temple Bar fournit l'esthétique : par les fenêtres d'une tour d'angle de verre et de bois, on voit le matériel et tous les accessoires de brassage, notamment la grande tuyauterie de cuivre qui introduit le motif principal du projet. À l'intérieur, le pub donne l'impression d'être grand, avec une série de demi-niveaux et quarts de niveaux disposés en spirale autour d'un atrium central à trois étages qui parvient à créer un espace théâtral et des vues dégagées sans sacrifier l'intimité indispensable à l'atmosphère du bar. Les détails sont souvent inventifs – poignées de portes et rampes en cuivre ordinaire de plomberie, vitrines en verre rétro-éclairées qui dramatisent la texture grossière de la brique – et l'usage abondant des surfaces de bois apporte chaleur et convivialité. Ce mélange prometteur d'éléments est toutefois desservi par la conception du mobilier et de la balustrade qui sont tous les deux maladroits et démesurés.

La réinterprétation de l'esprit traditionnel du pub est un problème permanent pour le modernisme : la plupart des nouveaux bars sont soit faussement traditionnels, soit une brasserie. Le Porter House est peut-être une étape sur la voie d'une solution plus satisfaisante.

ADRESSE A l'angle d'Essex Street East et de Parliament Street, Temple Bar, Dublin 2
INGÉNIEUR DE STRUCTURE Stanislaus, Kenny & Partners
AUTOBUS/TRAIN centre ville
ACCÈS libre

Frank Ennis & Associates 1996

Frank Ennis & Associates 1996

Le Centre Viking

Quand on parcourt Essex Street West sur l'itinéraire est-ouest de Temple Bar, l'attention est attirée par un groupe énigmatique de bâtiments reliés par un élégant pont métallique. En-dessous, un panneau est gravé de marques cosmiques qui ont l'air important. Un examen minutieux révèle que cette sculpture (de Grace Weir) se trouve à l'arrière du musée Viking. L'entrée est située en réalité sur Lower Exchange Street, l'ensemble du musée résultant de l'union forcée de cinq bâtiments distincts qui ont pour unique point commun d'avoir été construits les uns à côté des autres. Le groupe comprend une église, un presbytère et une ancienne école de garçons donnant sur Exchange Street, et une école de filles donnant sur Essex Street dont le site présente une pente équivalant à deux étages car le terrain descend jusqu'à la Liffey. Le groupe de bâtiments est proche de Woodquay (voir page 208), l'emplacement de la toute première cité viking.

L'entrée du musée se trouve dans le passage de verre et d'acier qui relie l'école de garçons à l'église. Une opération radicale a été nécessaire pour assurer la cohérence de ce groupe disparate, notamment dans l'école de garçons dont l'intérieur a été totalement supprimé pour installer une nouvelle rampe en spirale le long des bords. La série d'installations à l'entrée autour de la rampe est destinée à replonger le visiteur dans une époque où les techniciens de la circulation ne soumettaient pas les villes anciennes au viol et au pillage. Une fois totalement retourné en arrière, le visiteur entre dans une nouvelle mezzanine à l'intérieur de la vieille église dont le tissu a été habilement restauré. Son plafond raffiné est cousu à une structure métallique totalement neuve qui le surmonte. Les vides de la corniche ne cherchent pas à masquer les transformations et permettent d'évacuer la fumée. Au sud, les fenêtres gothiques sont des répliques, faites en bois et peintes, un peu moins honnêtement pour ressembler à la pierre d'origine. Cette salle illustre le parti choisi pour le travail – les œuvres d'origine incomplètes ou endommagées

Gilroy McMahon Architects 1996

VIKING

sont restaurées « sans couture » tandis que les éléments totalement neufs sont clairement présentés comme des ajouts contemporains.

La voie de circulation va de l'église à un pont vitré (modèle de clarté structurale et de sobriété dans les détails) puis à l'étage supérieur de l'ancienne école de filles. Ici, une enfilade de pièces a été créée en perçant les murs de refend du bâtiment d'origine, et de nouvelles charpentes en vieux pin ont été faites pour le toit, afin de s'harmoniser à celles qui existent déjà. Des dalles de verre et des lucarnes circulaires permettent de distinguer les éléments nouveaux. L'escalier placé dans l'axe permet aux visiteurs de descendre au dernier espace du musée – la « boîte noire » – où est exposé l'objet le plus précieux du musée, un bateau viking.

Extérieurement, la nouvelle construction se voit le mieux de la cour qui doit sa subtilité à la combinaison d'une construction métallique impeccable avec des planches de cèdre et des panneaux sculptés en relief en béton renforcé de fibres de verre.

Les architectes ont réussi à dégager de ce groupe excentrique une séquence cohérente d'espaces. Ce qui est perçu comme de la variété aurait pu être soit une série d'oppositions, soit une unité aux dépens des divers caractères internes. Bien que le résultat soit un véritable chef-d'œuvre d'architecture, on a le sentiment que le musée – comme d'autres établissements culturels installés dans des constructions rénovées autour de Dublin – est un mariage de raison entre le bâtiment et sa destination.

ADRESSE Lower Exchange Street, Dublin 2
MAÎTRE D'OUVRAGE Temple Bar Properties/Dublin Tourism
INGÉNIEUR DE STRUCTURE Horgan Lynch and Partners
COÛT £IR 5,5 millions
ENTRÉE libre

Gilroy McMahon Architects 1996

Les Bureaux Municipaux

Aucun site à Dublin n'a été plus controversé que celui-ci. Woodquay était en 1974 le site archéologique le plus important d'Irlande, au centre du tout premier établissement viking. Ce fut aussi le site choisi par la Municipalité de Dublin pour ses nouveaux bureaux, conçus par Sam Stephenson, un architecte dont le portefeuille comporte les bâtiments modernes les plus controversés de Dublin. Le conseil municipal et le lobby des défenseurs de l'environnement se sont livrés la plus acharnée de toutes les batailles concernant l'environnement, qui connut finalement une trêve temporaire après la construction de la première tranche – les tours octogonales jumelles (les infâmes « bunkers ») à l'extrémité de Dame Street. La menace de l'achèvement du plan (notamment deux autres tours assorties) plana sur la ville comme un nuage noir pendant des années jusqu'à ce qu'en 1992 un concours d'architectes organisé par un promoteur pour les bâtiments de la deuxième tranche soit remporté par Scott Tallon Walker.

Le nouveau bâtiment devait résoudre des problèmes urbains complexes : le site, à une grande courbe de la Liffey au milieu de la confusion des quais, est entouré de monuments qui figurent parmi les plus beaux de Dublin ; il fallait remédier aux dégâts occasionnés au paysage urbain par les bureaux municipaux et achever l'itinéraire piétonnier est-ouest de Temple Bar. Par ailleurs, il fallait que l'essentiel du site derrière les quais reste non bâti pour permettre de futures fouilles archéologiques.

Le bâtiment abrite divers services municipaux, notamment les architectes et urbanistes, et il est divisé en deux ailes parallèles – hautes de cinq étages côté quai et de six derrière. L'intervalle est occupé par un atrium sur toute la hauteur et un second atrium complémentaire est situé entre les deux tours d'origine. Une passerelle à deux étages franchit la rue piétonnière prolongée de Temple Bar. Une nouvelle entrée donnant sur

Scott Tallon Walker Architects 1994

les quais, marquée par une grande sculpture de Michael Warren bien placée, est reliée à une autre entrée donnant sur Christchurch Place entre les tours d'origine, ce qui crée un parcours piétonnier à travers le site, animé par les nouveaux espaces des atriums.

L'échelle du bâtiment et l'utilisation d'un revêtement de granite de Wicklow impeccablement travaillé en font un nouveau « monument » municipal sur les quais. Le balcon du dernier étage forme une corniche minimale qui se prolonge aux deux extrémités pour former un porche au-dessus de l'entrée et une proue pointue qui encadre les vues sur la cathédrale à partir du pont O'Donovan Rossa. Au sud, un grand écran solaire appliqué aux fenêtres fait partie d'une importante stratégie d'économie d'énergie qui utilise l'atrium central pour régler le chauffage et l'aération dans les espaces de bureaux.

Derrière le bâtiment, le parc paysagé surprend le visiteur : il offre des vues dégagées sur le faîte de la cathédrale et met fin à la liaison est-ouest par un amphithéâtre en plein air. Pendant ce temps, derrière le tout, les « bunkers » obstinés portent poliment leur nouvel habit avec à peu près la même grâce que Mike Tyson portant un tutu.

ADRESSE Woodquay, Dublin 2
MAÎTRE D'OUVRAGE Dublin Corporation
INGÉNIEUR DE STRUCTURE Ove Arup and Partners
COÛT £IR 18 millions
AUTOBUS 51, 51B, 70, 70X
ENTRÉE libre

Scott Tallon Walker Architects 1994

Trinity college

Réfectoire et atrium

De tous les architectes au cœur du débat régionaliste des années 1980, Blacam et Meagher et Paul Keogh ont été les plus proches de la définition de l'esprit insaisissable d'une architecture proprement irlandaise – et à Dublin le réfectoire de Trinity College en est la manifestation la plus claire.

Le réfectoire, qui donne sur la cour principale, était au XVIIIe siècle une partie essentielle du collège, bien qu'il soit entouré de constructions accumulées sur trois siècles. De Blacam et Meagher étaient en train de tracer des plans pour la rationalisation de cette masse compacte lorsqu'un incendie détruisit les intérieurs en juillet 1984. Les bâtiments sont aujourd'hui une combinaison d'intérieurs classiques soigneusement restaurés et de constructions et adaptations nouvelles. Pour le réfectoire même, les architectes ont conçu un nouveau mobilier sur des modèles du XVIIIe siècle. Des fragments de moulures et de profils qui avaient survécu à l'incendie permirent de reconstituer une grande partie de l'ouvrage d'origine. Cette tâche laborieuse a servi de cours de maître utile sur le travail géorgien que les architectes ont assimilé et réinterprété en en tirant avantage dans les zones où la fidélité de la reconstruction était moins cruciale.

On a donné une certaine logique à la densité et au désordre des constructions en creusant un atrium audacieux dans le plan profond voisin du réfectoire, ce qui a permis de disposer tout autour un nouvel agencement de cuisines, offices, bars et salles de réunions pour les clubs d'étudiants. L'espace même occupe toute la hauteur du bâtiment, du sous-sol à la charpente du toit du XVIIIe siècle récemment mise à nu dans l'ancienne cuisine. Pour un espace si important, le parcours est assez compliqué quand on vient de l'entrée latérale mais il augmente également le sentiment de découverte car le sous-sol à plafond bas cède la place au volume à quatre étages à éclairage zénithal. L'atrium est revêtu de chêne, avec des balcons à balustrade ou des volets ouvrants qui permettent aux occupants des pièces

De Blacam and Meagher Architects 1986

Trinity college

De Blacam and Meagher Architects 1986

derrière de choisir entre l'intimité ou l'interaction avec l'espace principal. L'espace marqué par l'influence de Louis Kahn parvient à rester fidèle à un esprit contemporain tout en coexistant joyeusement avec son environnement historique, équilibre obtenu grâce à tous les nouveaux éléments et détails aux quatre coins de l'édifice.

Autour de l'atrium, divers espaces sociaux – le Buttery Bar dans la crypte voûtée sous le réfectoire, les offices et les salles à manger – présentent le même vocabulaire discret. Avec leurs détails de chêne massif ou de pierre, leur lambrissage de bois et leurs sols carrelés aux motifs losangés, ils rappellent les soupentes des grands manoirs. Des agencements symétriques soignés et des meubles simples en chêne massif prolongent cette analogie pertinente.

Un autre trésor se cache au premier étage : le Senior Common Room Bar, construit comme une réplique du célèbre Kärtner Bar viennois d'Adolf Loos de 1907. La petite pièce sombre et enfumée a une allure authentique malgré les dalles peintes du plafond qui imitent le marbre et un agencement mystérieusement transmis. Mais pourquoi reconstruire un classique moderne ? Il y a une certaine ressemblance entre la structure à poutres et colonnes de la colonnade du bar, couverte de miroir, et la structure de l'atrium, mais peut-être était-ce le résultat littéral des propres arguments de Loos qui préconisait de suivre les typologies établies. Ou peut-être est-ce seulement un espace tellement bon que toute ville devrait en avoir un ?

ADRESSE Trinity College, Dublin 2
INGÉNIEUR DE STRUCTURE Ove Arup and Partners
COÛT £IR 4 millions
AUTOBUS CENTRE VILLE DART Pearse Station
ACCÈS sur demande à la Direction des bâtiments

Trinity college

De Blacam and Meagher Architects 1986

Beckett Theatre

La disposition du campus de Trinity insiste beaucoup sur les voies étroites aux angles de la cour qui communiquent avec les espaces extérieurs. Quand on franchit la dernière de ces voies, nommée « The Narrows », à l'endroit où les places fermées s'ouvrent sur les terrains de jeu à l'est, une grande tour revêtue de chêne, habilement disposée, apparaît brusquement pour amplifier les limites de la voie. Un examen minutieux révèle qu'il s'agit de la façade publique du nouveau Beckett Theatre de la faculté d'Art dramatique. Le complexe comprend le théâtre même (un auditorium en « boîte noire »), un plus petit Players Theatre, un studio de danse et tous les équipements connexes.

Le problème du traitement de la grande boîte inexpressive qu'est l'auditorium a été résolu en enterrant le volume dans la profondeur du bâtiment. Les façades est et ouest sont cachées par les bâtiments mitoyens et la façade nord, sur Pearse Streeet, est formée par une bande de bâtiments préexistants qui ont été convertis en bureaux et en salles de classe. À titre secondaire, ils constituent une zone-tampon insonorisante entre l'auditorium et le bruit de la circulation de Pearse Street.

Le reste des locaux est entassé dans la tour de bois qui annonce la présence de ce complexe caché. Des colonnes trapues en bois forment une arcade au rez-de-chaussée et mènent à l'entrée principale et au guichet. Les équipements liés aux relations publiques occupent le reste du rez-de-chaussée. Le petit Players Theatre est coincé dessus, dans un espace de grande hauteur sous plafond et encore plus haut, le studio de danse occupe un espace carré à éclairage zénithal et au toit métallique complexe. La tour est en fait une structure à ossature métallique revêtue d'un encadrement et de panneaux de chêne, comme on le constate à l'intérieur de l'arcade où la construction est clairement formulée. Le deuxième et le troisième étages sont articulés par des degrés dirigés vers l'extérieur dans le revêtement pour permettre de rejeter l'eau de pluie loin de la façade. La tour est surmontée

de Blacam and Meagher Architects 1993

Trinity college

de Blacam and Meagher Architects 1993

d'un toit d'ardoise en pente, en forme de chapeau, dont le large bord forme un ample avant-toit en saillie.

La tour et l'atrium précédemment construit par de Blacam et Meagher dans le réfectoire du collège (voir page 214) ont un air de famille très prononcé. Ils partagent en effet le même vocabulaire : encadrement et lambris de bois, grands volets ouvrants. On pourrait dire que la nouvelle tour représente l'équivalent massif et « positif » du vide « négatif » de l'atrium.

La tour illustre aussi l'obsession permanente des architectes de l'œuvre de Louis Kahn (Shane de Blacam a travaillé dans le bureau de Kahn trois ans au début de sa carrière). Dans le cas présent, c'est la Fisher House de Kahn qui vient à l'esprit. Son influence se manifeste dans le placage de bois aux détails précis, les ouvertures des fenêtres et l'utilisation d'une forme géométrique claire pour venir à bout d'un contexte maladroit et désordonné. Pour certains observateurs, l'usage du bois rappelle les théâtres élisabéthains ; d'autres y voient un lien avec l'œuvre d'Aldo Rossi, notamment son théâtre flottant. C'est sans aucun doute un bâtiment riche en références et allusions, une des plus subtiles étant le parallèle entre le gris argenté de son placage de chêne et le granite de Wicklow des édifices environnants – lien qui se renforcera à mesure que le bâtiment prendra de l'âge.

ADRESSE Trinity College, Dublin 2
INGÉNIEUR DE STRUCTURE Ove Arup and Partners
COÛT £IR 2 millions
AUTOBUS centre ville DART Pearse Station
ACCÈS ne se visite pas

Logements pour les étudiants

À côté du Beckett Theatre, un petit aménagement abrite 100 chambres d'étudiants dans deux bâtiments parallèles à quatre étages, perpendiculaires à la terrasse périphérique sur Pearse Street. La circulation au rez-de-chaussée se fait latéralement en traversant le centre des bâtiments et la cour étroite qui les sépare. Ce procédé permet un aménagement en plusieurs tranches autonomes (deux autres bâtiments sont prévus) – alternative intéressante à un bâtiment en axe central et dont la forme ne serait jamais terminée.

On entre par un espace octogonal au centre de chaque bâtiment, d'où des escaliers au nord et au sud montent aux couloirs centraux des étages supérieurs. La forme octogonale de l'entrée est une version miniature de l'entrée principale du collège par College Green. L'ensemble de l'agencement est d'une simplicité satisfaisante, avec ses toits bas en pente qui se terminent par des avant-toits profonds en saillie évoquant Frank Lloyd Wright. Les élévations avant et arrière des deux bâtiments donnant sur les terrains de jeu ont des murs aveugles au rez-de-chaussée et au premier étage. Un bâtiment bas au sud, lui aussi sans fenêtres, relie les deux édifices et tient compte du parcours piétonnier qui traverse la façade, constituant une plinthe visuelle. Les matériaux sont en majorité naturels et laissés sans finition : fenêtres en bois dur non hermétiques, toits d'ardoise au faîtage en feuilles de plomb roulées. Les murs, initialement recouverts d'enduit gris naturel ont été récemment peints en crème, ce qui a supprimé la continuité entre les matériaux lisses de parement et affecté notamment la relation fenêtre/mur.

ADRESSE Trinity College, Dublin 2
INGÉNIEUR DE STRUCTURE Ove Arup and Partners
COÛT £IR 1,5 million
DART Pearse Station
ACCÈS ne se visite pas

de Blacam and Meagher Architects 1990

Trinity college

de Blacam and Meagher Architects 1990

O'Reilly Institute for Communications and Technology

À l'angle nord-est, l'infrastructure dense de Trinity College commence à se fragmenter. Le chemin de fer aérien qui vient de Pearse Station rogne le site à un endroit où, idéalement, la clôture du campus devrait être renforcée. Avant la construction de l'Institut O'Reilly, Westland Row, une somptueuse rangée de maisons géorgiennes qui forme la lisière est du collège, a été amputée sans façons par le chemin de fer. Derrière, c'était une accumulation désordonnée d'agrandissements et de petits bâtiments sur College Lane. La construction du nouvel institut a fourni l'occasion de remédier à ces inconvénients et de refaire les zones arrière du collège.

Première partie d'un plan d'ensemble pour le secteur, agrandi depuis par le bâtiment de biotechnologie, l'Institut abrite un centre d'innovation, le département d'informatique et l'ordinateur principal du collège ainsi que les laboratoires de recherche en physique. La stratégie visait à relier un bâtiment de trois étages sur plan profond à la rangée de maisons géorgiennes préexistantes par un hall-atrium à toit de verre, créant ainsi à l'intérieur du collège un nouveau parcours à l'est. Les différences de niveau et les particularités des bâtiments plus anciens pouvaient ainsi être absorbées par le bord de l'atrium, grâce à des passerelles et des escaliers à l'intérieur de l'atrium. Le bâtiment principal est lui-même divisé par une autre cour à toit de verre qui laisse la lumière pénétrer dans le plan profond. Les bâtiments de Westland Row ont été soit reconstruits sous forme de réplique soit restaurés. La stratégie de base du projet, variante du bâtiment familier faisant office d'axe central, crée un système prolongeable et répondant bien à la forme de la rangée de maisons préexistante. Malgré la justesse du schéma, un grand édifice sur un site sensible nécessite davantage de manipulations pour répondre convenablement aux forces contextuelles qui s'exercent sur lui. Le principal problème de conception des bâtiments rectilignes – que ce soit des cathédrales gothiques

Scott Tallon Walker Architects 1988

ou un édifice comme celui-ci – est comment mettre fin de manière satisfaisante à un édifice de longueur potentiellement illimitée. Ici, l'extrémité voisine du pont de chemin de fer ne tient pas compte de cette question ; elle ne répond pas au pont au-delà d'une façade aveugle pour la protection acoustique et donne l'impression qu'elle se prolongerait vers le nord si l'on démolissait un jour la voie ferrée. La rangée de maisons de Westland Row s'interrompt près de la fin du nouveau bâtiment et laisse voir la façade latérale de l'atrium. C'est là que l'entrée principale réoriente l'axe de l'atrium, formant une cour d'entrée dont on peut dire qu'elle met un terme à l'ensemble.

Les élévations et la construction du bâtiment contribuent aussi son allure schématique. Les cadres métalliques des portails de l'atrium ont un rythme implacable qui domine la relation potentiellement subtile avec l'arrière de la rangée de maisons préexistante. Les élévations sont faites d'un quadrillage tout aussi implacable de panneaux carrés de béton renforcé de fibres de verre à granulats granitiques. Les fenêtres carrées assorties, dans l'alignement des panneaux, excluent toute possibilité de hiérarchie et d'articulation dans les ouvertures. D'autre part, la qualité et la cohérence de la construction ainsi que la recherche résolue de l'idée d'origine exigent un certain respect.

À l'intérieur, les lambris de bois et la qualité de la lumière ont un effet adoucissant, de même que le bananier dans la cour. Il a tellement poussé qu'il bloque la sortie de secours mais une décision écologiquement saine a été prise d'aménager une autre sortie de secours plutôt que de l'abattre.

ADRESSE Trinity College, Dublin 2
INGÉNIEUR DE STRUCTURE Joseph McCullough and Partners
COÛT £IR 3,5 millions
DART Pearse Station
ACCÈS sur rendez-vous avec le secrétaire du collège

Scott Tallon Walker Architects 1988

Scott Tallon Walker Architects 1988

Bâtiment Rowan Hamilton et Centre national de biotechnologie pharmaceutique

La stratégie de planification grossière de l'Institut O'Reilly (page 224) se poursuit dans les tranches ultérieures du plan directeur oriental, qui héberge la faculté d'ingénierie et le département de biotechnologie. L'édifice voisin de la première tranche est le bâtiment William Rowan Hamilton, avec une bibliothèque coincée au-dessus de deux étages de salles de cours et de séminaires. Le Centre national de biotechnologie pharmaceutique, voisin de celui-ci, marque le terme de cette tranche du projet.

La circulation principale étant placée dans l'axe central vitré, la masse du nouveau bâtiment se trouve entre cet axe et l'approche principale en venant du campus, ce qui crée une entrée étroite et profonde en forme de fente entre l'institut et le bâtiment Hamilton. En éloignant la source principale d'intérêt dynamique de la façade du bâtiment, les architectes ont perdu un moyen d'animer les élévations. Le problème a été en partie résolu par une galerie à deux niveaux avec des boutiques et un café mais le potentiel d'un espace public animé est considérablement réduit par le vitrage noir fumé et les restrictions de sécurité portant sur les ouvertures des portes. Mais la dernière tranche de construction, reliant l'axe central vitré et la galerie à Lincoln Place, devrait exploiter la logique de la planification et assurer le mouvement piétonnier nécessaire pour animer ces espaces actuellement somnolents.

ADRESSE Trinity College, Dublin 2
INGÉNIEUR DE STRUCTURE Lee McCullough and Partners
COÛT £IR 5 millions
DART Pearse Station
ACCÈS sur rendez-vous avec le secrétaire du collège

Scott Tallon Walker Architects 1993

Trinity college

Scott Tallon Walker Architects 1993

Résidences universitaires de Goldsmith Hall

La principale réalisation de cette opération simple par ailleurs est la nouvelle passerelle qui part de l'angle nord-est des terrains de Trinity College. En venant du collège, on entre par une porte discrète au flanc d'une tour indépendante qui abrite un escalier et un ascenseur. Cette tour revêtue de verre et de calcaire gris permet aux piétons de monter à une passerelle vitrée qui enjambe Westland Row. La superstructure du pont est suspendue à de gracieux arcs métalliques qui font écho au toit incurvé de la Pearse Station voisine. L'élégance de la nouvelle structure blanche est accentuée par comparaison avec le pont ferroviaire et le viaduc voisins, caillouteux et massifs, qui rognent l'angle du campus de Trinity à cet endroit.

Les logements mêmes sont corrects et honnêtes avec une tendance moderne que maîtrisent des connotations classiques. La longue façade sur Pearse Street met en contraste des fenêtres en rangs serrés (reflétant l'agencement intérieur répétitif des chambres) et des fenêtres en oriel verticales en verre aux angles et au-dessus des entrées côté rue. Seule une explosion de fenêtres en saillie, en forme de dents de requin, vient troubler la symétrie et la tranquillité.

ADRESSE Angle de Pearse Street et de Westland Row, Dublin 2
INGÉNIEUR DE STRUCTURE Ove Arup and Partners
COÛT £IR 6,6 millions
AUTOBUS 1, 3 ; DART Pearse Station
ACCÈS ne se visite pas

Murray O'Laoire Associates 1996

Murray O'Laoire Associates 1996

Bureaux Aranás B

Une autre forme de rénovation urbaine ayant une longue ascendance historique est la réfection de la façade d'un bâtiment ancien. Bien que le cas ne se soit pas souvent présenté ces dernières années, elle a été adoptée ici dans le cadre de la réhabilitation d'un immeuble de bureaux des années 1970. Le bâtiment d'origine a été construit en tenant compte d'un futur élargissement de la rue et l'angle qu'il forme avec son voisin georgien prévoyait (à tort) la destruction finale de la rangée de maisons tout entière pour les besoins de l'urbanisme. Après l'achat du bâtiment par Trinity College pour le Département d'Etudes Commerciales, les architectes ont pu remédier aux dommages dûs à cette erreur de prévoyance et ont rétabli l'alignement de la rue en comblant le petit triangle resté vide. La forme moderne revêtue de brique présente des ressemblances avec la rangée de maisons géorgiennes qu'elle complète maintenant. Ses profonds jambages et ses détails réservés rappellent les ouvrages récents de de Blacam et Meagher (comparer avec les bureaux Stack B page 52). L'emplacement de l'entrée, qui a été inversée, s'ouvre du côté du campus sur un hall sinueux, alors que l'entrée côté rue, plus discrète, est placée dans le revêtement vitré qui recouvre maintenant l'ancien immeuble de bureaux.

La réfection de la façade du bâtiment parvient à remédier à une discontinuité légère mais importante dans le tissu urbain. Ce geste n'est pourtant pas totalement désintéressé ; la nouvelle section offre également une précieuse surface locative nette de 1900 m².

ADRESSE Pearse Street, Dublin 2
INGÉNIEUR DE STRUCTURE John Doyle and Associates
COÛT £IR 4 millions ; DART Pearse Station
ACCÈS ne se visite pas

Moloney O'Beirne Architects 1996

Moloney O'Beirne Architects 1996

Département du Génie mécanique

Le bâtiment Parsons classique se trouve à l'endroit où Lincoln Place oblique vers l'angle du campus de Trinity. Le nouvel agrandissement est conçu pour servir d'intermédiaire entre ce bâtiment (qui abrite le département du génie mécanique et industriel) et les édifices environnants du quadrillage orthogonal du campus. L'agrandissement qui en résulte utilise un podium revêtu de granite modelé par les forces contextuelles et surmonté d'un bloc cubique qui respecte la hauteur des parapets environnants. Une volée d'escalier cérémonielle monte sur le côté vers l'entrée principale existante, en évitant les arbres à droite. Un petit escalier latéral donne accès au toit en terrasse du podium avec sa série de lanterneaux. Le podium contient un atelier et le bloc supérieur est occupé par des laboratoires, des salles de séminaires et des bureaux.

Sur les élévations, des détails industriels comme de grandes portes coulissantes et des palonniers reflètent la destination du bâtiment et l'opulence est accrue par la gamme des matériaux – placage de basalte, fenêtres d'aluminium et panneaux de verre transparent et sombre.

L'agrandissement est un exemple de plus de bâtiment résolument moderne qui s'insère sans difficulté dans un cadre historique sur le campus de Trinity. L'ensemble de la composition rappelle un peu l'œuvre d'Alvaro Siza, notamment la façon dont les modulations de la forme font un geste contextuel tout en ajoutant mouvement et aisance à la forme du bâtiment.

ADRESSE Parsons Building, Trinity College, Dublin 2
INGÉNIEUR DE STRUCTURE Ove Arup and Partners
COÛT £IR 1 million
DART Pearse Station
ACCÈS ne se visite pas

Grafton Architects 1996

Trinity college

Grafton Architects 1996

Hôpital dentaire

Ahrends Burton et Koralek ont créé leur cabinet d'architecture ensemble après avoir remporté en 1967 le concours pour la bibliothèque Berkeley à Trinity College (qui est toujours l'un des meilleurs bâtiments modernes de Dublin). Cet ouvrage fut suivi par les Arts Buildings en 1980 et actuellement, ABK agrandit et remet à neuf l'école dentaire de Lincoln Place. Le travail consiste à rénover le bâtiment existant côté rue et à construire à l'intérieur du campus un nouveau bâtiment relié à l'agrandissement du Parson's Building (page 234). La jonction à angle aigu entre ces deux bâtiments rectilignes est réalisée par une façade faite de deux lames incurvées se chevauchant, qui pivotent autour d'une haute tour circulaire en dalles de verre (qui ressemble de façon déconcertante à la malheureuse tour de la National Gallery à Londres par ABK, que le Prince de Galles a qualifiée de « furoncle » dans son infâme discours). Construire dans une république a peut-être encouragé sa réapparition.

À l'intérieur, les locaux sont centrés sur un atrium et une cascade d'escaliers sous le grand toit de verre promet un bel intérieur neuf. Le vaste plancher du nouveau bâtiment est occupé par des cabines que séparent des cloisons pour permettre aux étudiants-dentistes d'exercer leurs talents sur le public.

ADRESSE Lincoln Place, Dublin 2
INGÉNIEUR DE STRUCTURE Ove Arup and Partners
COÛT £IR 6,5 millions
DART Pearse Station
ACCÈS sur rendez-vous

Ahrends Burton et Koralek à partir de 1996

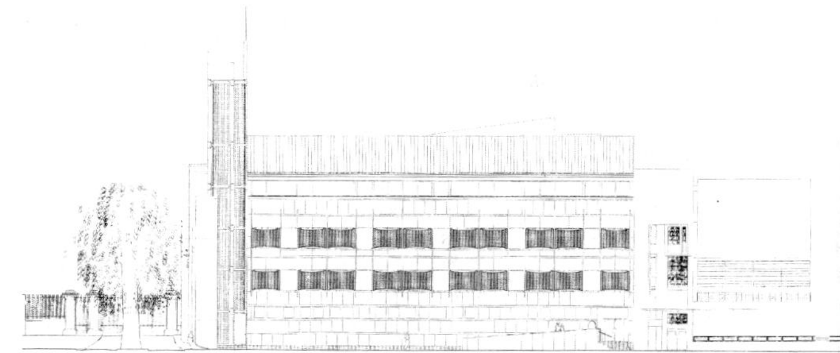

Ahrends Burton et Koralek à partir de 1996

238 Boutique de la bibliothèque de Trinity College

La Long Room de la bibliothèque de Trinity est l'un des plus merveilleux intérieurs d'Irlande; elle abrite une superbe collection de manuscrits médiévaux enluminés, notamment le *Livre de Kells*, une des grandes attractions touristiques de Dublin. Pour les mille visiteurs qui viennent chaque jour admirer ces trésors, le parcours commence et finit dans le magasin qui était initialement une loggia découverte mais a été fermée dans les années 1890. Plus récemment, l'espace a été remis à neuf avec un nouveau vestibule, des marches et rampes à l'extérieur et un escalier qui descend de la Long Room. Les architectes avaient pour but de dégager la circulation et d'améliorer l'espace de vente tout en tenant compte des principaux éléments du magasin et en les conservant. Mais ils tenaient aussi à ne pas laisser le commerce submerger les qualités structurales et spatiales de l'ancien édifice.

Pour présenter la marchandise, on a créé des unités apparentées, dans le même matériau et de même forme, jouant chacune un rôle différent. Ensemble, elles peuvent présenter 1800 articles différents. Ces unités, dispersées dans l'espace, respectent la structure existante et les voies de circulation tout en présentant une discrétion qui leur est propre. Malgré la variété fonctionnelle, l'unité d'ensemble est ainsi assurée. Les vitrines les plus réussies sont celles qui parviennent à offrir un espace de vente lumineux sans masquer la vue.

ADRESSE Old Library, Trinity College, Dublin 2
COÛT £IR 150 000
AUTOBUS/TRAIN centre ville
ACCÈS libre

Kearney and Kiernan Architects 1995

Kearney and Kiernan Architects 1995

Dublin Sud

Le centre des sweepstakes

Opération commerciale astucieuse, œuvre de l'architecte du College of Technology de Bolton Street (p. 70) et de Collin's Barracks (p. 74), elle est conçue pour un programme moderniste ; la disposition sur le site est régie par des considérations pratiques – orientation, vue sur les montagnes de Wicklow, et besoin interne de bureaux d'angle – plus que par le souci de l'îlot immobilier et des façades sur rue. Un autre facteur a été l'emplacement du site, à la lisière du centre urbain, devenant ici banlieue sud. Elles ont abouti à une rotation du plan de 45 degrés, qui rend l'édifice un peu indifférent au contexte, détachement accentué par d'importantes plantations et des grilles de sécurité.

Le bâtiment est relié à Merrion Road par une construction à deux étages, terminée récemment (un magasin d'exposition automobile par Campbell Conroy Hickey Architects) après être resté inachevée pendant des années. Il avait été prévu un agencement de quatre édifices identiques mais, à ce jour, seul celui-ci a été construit. Il est surélevé sur un socle pour éviter un risque local d'inondation, ce qui a permis de construire un parking en-dessous. Un espace de bureaux en forme de U de 13,5 m de profondeur entoure un atrium central, l'ensemble ayant été prévu comme un tout spéculatif, « enveloppe et noyau », mais de qualité supérieure. Le revêtement extérieur de granite et de miroir est réalisé avec précision (les facettes formant le bâtiment ont contribué à briser l'échelle) et doit beaucoup aux édifices contemporains de la Cité de Londres.

ADRESSE Merrion Road, Ballsbridge, Dublin 4
MAÎTRE D'OUVRAGE Ryde Development Ireland Ltd
INGÉNIEUR DE STRUCTURE Ove Arup and Partners
COÛT £IR 5 millions
AUTOBUS 5, 7, 7A, 7X, 8, 63, 84 ; DART Lansdowne Road
ACCÈS ne se visite pas

Gilroy McMahon Architects 1991

Gilroy McMahon Architects 1991

L'ambassade de Grande-Bretagne

La construction d'une nouvelle ambassade britannique dans l'Irlande post-impériale est un événement de grande portée – et qui exige un édifice important. Allies et Morrison ont été choisis comme architectes après avoir remporté en 1991 un concours d'appel d'offres sur invitation. Ils sont réputés au Royaume-Uni (où ils sont devenus à maints égards la face acceptable du modernisme) pour une série de bâtiments contextuels soigneusement étudiés qui combinent le Style International et des exemples plus anciens, notamment les édifices du style anglais « Arts and Crafts » du début du siècle.

L'archétype choisi ici est le manoir, une grande villa de conception soignée placée au centre du site avec une loge d'entrée sur la rue qui annonce le style et le matériau de la maison principale. Une « écurie » de moindre échelle et matériau enveloppe l'arrière de la villa en formant des cours et des entrées de service. Le bâtiment principal a une façade soignée et plate à huit travées en granite de Wicklow avec des détails d'aluminium et d'acier, divisée horizontalement en soubassement, étage noble et attique. En élévation, des éléments symétriques sont disposés dans un tout asymétrique. L'entrée de l'ambassade est placée au centre des cinq travées de gauche et la symétrie de l'agencement est soulignée par le blason qui surmonte le porche en renfoncement et par une cheminée au niveau du toit. L'entrée du consulat est disposée plus simplement dans les trois autres travées mais placée dans l'axe du portail principal. On entre en franchissant un pont jeté sur un bassin réfléchissant décoré d'une sculpture de Susannah Heron au sein d'un assemblage d'éléments plats, œuvre de l'écurie moderniste de Ben Nicholson et Geoffrey Jellicoe.

Sous son revêtement, le bâtiment est une carcasse de béton armé, avec un minimum d'ouvertures pour des raisons de sécurité – en fait la mission principale des architectes a été d'habiller extérieurement un bunker. Le

Allies and Morrison 1995

Allies and Morrison 1995

principal procédé architectural adopté a été celui des couches superposées qui donnent l'impression que la façade est faite de matériaux différents intercalés se dévoilant aux ouvertures et aux angles – approche popularisée par l'analyse récente du musée du Castelvecchio à Vérone par Carlo Scarpa. Le maître italien souhaitait toutefois mettre en évidence les couches historiques de l'ancien bâtiment, superposées au cours des siècles, et il considérait sa propre intervention comme une couche supplémentaire. Ici, la construction étant entièrement neuve, ce procédé est une façon de décorer et même de déguiser la structure. Les ouvertures de la façade sont faites de façon à sembler plus grandes en mettant à nu une couche de métal sous le granite, et la minceur du placage de granite est exprimée par un quadrillage de barres d'aluminium qui fragmente les surfaces. Le toit reprend lui aussi le thème : des plans d'ardoise glissent à travers les surfaces métalliques et l'arête est coiffée de la marque énigmatique des architectes : une poutre de faîte.

Le thème du placage posé sur la structure est repris à l'intérieur, cette fois avec des panneaux de bois dur et du Placoplâtre. L'effet d'ensemble est raffiné, délicat même – exploit remarquable considérant la carcasse de béton massive et grossière derrière. La suppression de la structure donne toutefois au bâtiment légèreté et fragilité. Il lui manque donc la gravité que le choix d'une structure plus expressive aurait pu traduire.

ADRESSE 31 Merrion Road, Ballsbridge, Dublin 4
MAÎTRE D'OUVRAGE Ambassade de Grande-Bretagne
INGÉNIEUR DE STRUCTURE Whitby and Bird
COÛT £IR 6,3 millions
AUTOBUS 5, 7, 7A, 7X, 8, 18, 46, 84 ; DART Lansdowne Road
ACCÈS zones publiques, pour les affaires consulaires

Allies and Morrison 1995

Maisons de « mews » *

Il s'agit d'un petit aménagement rigoureux de deux maisons de « mews » donnant sur Herbert Park, l'une pour un homme d'affaires, l'autre pour un artiste. Une des maisons et un des terrains sont plus grands que les autres – et comme le commerce l'emporte inévitablement sur la culture, ce sont ceux qui appartiennent à l'homme d'affaires. Les deux maisons ont été restaurées et dans les deux jardins on a construit un agrandissement sous forme de nouveau pavillon – l'un est un cube, l'autre un atelier rectiligne à éclairage zénithal. Des couloirs étroits les relient aux maisons.

De la rue, une paire assortie de nouvelles ouvertures sous des balcons incurvés fait face au parc. On a résisté à l'envie de réaliser des ouvertures symétriques, ce qui ajoute une légère torsion à la composition. Le traitement matériel de la porte principale et de celles du garage est le même mais une colonne décentrée, subtilement placée, marque le parcours piétonnier. La colonne qui se poursuit au-delà du balcon et monte jusqu'à l'avant-toit, est un des motifs favoris du groupe rationaliste. On le voit maintenant sur la moitié des nouveaux aménagements de la ville.

(*) ruelles abritant autrefois les écuries à l'arrière des maisons

ADRESSE Clyde Lane, Ballsbridge, Dublin 4
MAÎTRE D'OUVRAGE Boland and Associates
INGÉNIEUR DE STRUCTURE Roughan and O'Donovan Engineers
AUTOBUS 5, 7, 7A, 8, 18, 45 de Busaras central ; DART Lansdowne Road
COÛT £IR 165 000
ACCÈS ne se visite pas

Grafton Architects 1992

Dublin Sud

Grafton Architects 1992

Amphithéâtre et bibliothèque, institut des ingénieurs du génie civil

Ce bâtiment simple en brique à deux étages et à toit pentu a été aménagé dans les « mews » à l'arrière d'une grande maison victorienne. L'amphithéâtre est situé à l'étage noble, avec les archives en bas et un passage vitré le relie au bâtiment principal. Les élévations sont proportionnées et détaillées mais le principal centre d'intérêt est la façon dont les architectes ont tenté de suggérer les diverses couches historiques en construisant avec des fragments dépareillés, comme s'ils avaient été récupérés sur des édifices antérieurs sur le site. McCullough et Mulvin avaient en tête l'effet pittoresque créé par les bâtiments élevés sur les ruines romaines, comme en Espagne et en Italie. L'idée n'est pas neuve : des architectes de manoirs victoriens comme George Devey ont utilisé cette technique, souvent avec beaucoup de conviction, pour imiter le vieillissement en suggérant diverses phases de construction, comme une chaumière de pierre « antérieure » enchâssée dans une plus grande maison de brique. Ici, le vieillissement n'a pas été l'intention des architectes parce que les morceaux « anciens » sont clairement contemporains du reste. Il s'agit de l'arc qui surmonte la fenêtre circulaire sur la façade postérieure et des arcs de brique apparente dans le mur enduit de plâtre de la cage d'escalier. Peut-être seule l'« idée » de strates historiques était-elle importante ? Quelle que soit l'intention, il était certain qu'elle frapperait les vieux modernistes d'apoplexie et les architectes n'ont pas, à notre connaissance, renouvelé l'expérience.

ADRESSE 22 Clyde Road, Ballsbridge, Dublin 4
MAÎTRE D'OUVRAGE Institute of Engineers of Ireland
INGÉNIEUR DE STRUCTURE Joseph McCullough and Partners
COÛT £IR 400 000
AUTOBUS 5, 7, 7A, 8, 18, 45 ; DART Lansdowne Road
ACCÈS ne se visite pas

McCullough and Mulvin Architects 1989

Maison

Étant donné la rareté des maisons modernes dans la banlieue de Dublin, il faut fêter l'arrivée de cette petite villa de Style International. Elle a été construite pour un couple de retraités sur le terrain de leur grande maison, sur un site n'offrant aucune vue arrière. Un mur incurvé peu profond marque cette limite au sud-est et une rangée unique de locaux est orientée à l'ouest vers le jardin et la route. En utilisant les traits préexistants du site, notamment des murs de jardin solides, les architectes ont conçu le plan comme une série de couches.

L'entrée côté rue mène à un jardin extérieur qui se trouve dans l'espace entre deux des murs conservés. Le mur intérieur est percé par un nouveau groupement de grilles blanches dépouillées et une fontaine dans le style de Scarpa indiquant l'entrée. Un portillon pivotant mène au jardin intérieur où des cascades bordent le chemin menant à la porte principale. La façade de la maison est singularisée par un passage de béton indépendant. Le mur de la maison derrière est abondamment planté et finira par ressembler à une toile de fond verte (ponctuée de fenêtres et de panneaux de blocs de verre) derrière le claustra blanc et le jardin aquatique. Des baldaquins horizontaux en saillie indiquent l'emplacement de la porte principale et de la terrasse du séjour. Le profil de la maison a été soigneusement étudié pour laisser entrer un maximum de soleil et de lumière – pour que les masses puissent exécuter leur « jeu magistral, juste et magnifique ».

ADRESSE 40A Anglesea Road, Ballsbridge, Dublin 4
MAÎTRE D'OUVRAGE M. et Mme J. Dolan
INGÉNIEUR DE STRUCTURE Clifton Scannell Emerson Associates
COÛT £IR 250 000
AUTOBUS 46, 63, 84 du centre ville
ACCÈS ne se visite pas

Noel Dowley Architects 1995

Dublin Sud

Noel Dowley Architects 1995

Ensemble d'habitations de Swan Place

Cet ensemble de logements ancien, peut-être le premier, du groupe rationaliste – construit à l'extrémité d'une ruelle étroite sur un petit site enclavé – demeure une solution habile et pertinente au problème du logement dans la densité du vieux centre ville. Pour former une rangée de trois maisons, le site est divisé en six bandes parallèles ; chaque maison comporte un bloc de deux étages et un autre bloc divisé entre les cours à l'arrière et les chambres à coucher à l'avant, reliés par un mur de verre. Au premier étage, des serres à toit de verre surmontent les chambres à coucher. De la ruelle, on voit une alternance de gables pleins et de gables vitrés.

Au niveau de la rue, une arcade constitue la façade officielle sur la rue et crée une zone-tampon. Elle mène aussi aux parkings auxquels on accède par une autre rue. Les portes principales donnent sur l'arcade ; leur emplacement est subtilement indiqué par des colonnes circulaires au milieu des piliers en majorité carrés.

Il n'y a rien à ajouter ni à supprimer dans ce lotissement : il propose des maisons particulières ensoleillées avec toute une gamme d'espaces à vivre, réalisées avec une remarquable économie de moyens.

ADRESSE Swan Place, donnant sur Leeson Street Upper/The Appian Way, Ranelagh, Dublin 4
MAÎTRE D'OUVRAGE Ray Doyle Construction
COÛT £IR 100 000
AUTOBUS 10, 11, 11A, 11B, 13, 18, 46A, 46B ; DART Lansdowne Road
ACCÈS ne se visite pas

Shay Cleary et Frank Hall 1983

Shay Cleary et Frank Hall 1983

Ensemble d'habitations de Beggars Bush Barracks

Les ensembles d'habitations privés sont le pilier de l'industrie du bâtiment à Dublin depuis des décennies et les banlieues sud notamment ont vu d'énormes projets nouveaux. Mais trouver chez eux un mérite architectural, c'est comme chercher l'aiguille proverbiale dans une meule de foin. Ce projet dense est presque le seul à dépasser les limites populistes à la recherche d'une forme plus urbaine.

Après l'entrée dans Haddington Square, les bâtiments de la caserne d'origine restent sur les côtés et un grand édifice abritant le laboratoire d'Etat domine le panorama en face. Les nouveaux logements sont disposés derrière les rangées de maisons d'origine en bâtiments parallèles dont l'un est plaqué à l'arrière des bâtiments d'origine. Les espaces entre les bâtiments sont alternativement occupés par des jardins et des cours d'entrée. Au bout des rangées de maisons, une autre rangée de maisons à un seul étage suit le tracé de Haddington Road.

La palette des matériaux est austère – brique et métal gris pour les fenêtres et les balustrades avec quelques blocs de verre côté jardin. L'intérêt est créé par le rythme des travées, les hautes proportions de type hollandais des ouvertures et occasionnellement l'articulation concave ou incurvée des formes de brique. Les cours d'entrée sont signalées par un angle entaillé doté de colonnes d'angle sur toute la hauteur.

ADRESSE Haddington Square, Haddington Road, Dublin 4
MAÎTRE D'OUVRAGE Gem Development Company Ltd
COÛT £IR 5 millions
INGÉNIEUR DE STRUCTURE Thorburn Colquhoun
AUTOBUS 45 ; dart Lansdowne Road
ACCÈS ne se visite pas

Shay Cleary Architects 1995

Le Centre Culturel Islamique

Discrètement en retrait par rapport à la rue dans la grande banlieue sud, le centre est l'un des nouveaux bâtiments les plus inattendus de Dublin. Conformément à l'universalité de la foi islamique, c'est un mélange complexe d'utilisations qui fait du centre un village en microcosme. Outre la salle de prière centrale, il y a une école, une salle de sport, un magasin, un restaurant, une bibliothèque, des salles de réunion et de formation et dix appartements. Un mélange si éclectique est rendu possible par le plan : un quadrillage apparemment simple et pertinent qui présente un niveau satisfaisant de précision obtenu seulement par une étude et une recherche approfondies.

La salle de prière est entourée d'un déambulatoire à 360 degrés qui, de même qu'une entrée pour les familles, révèle le côté novateur de l'édifice dans le monde islamique. Outre la coupole et le minaret emblématiques, un caractère proprement islamique a été obtenu sans recourir au pastiche des détails. Tous les éléments décoratifs, des balustrades et du réseau des fenêtres aux lucarnes et au carrelage de marbre se rattachent au plan basé sur le carré. L'orientation obligatoire de l'édifice vers la Mecque crée toutefois une relation assez imprécise avec la rue et le site, bien qu'elle satisfasse le désir du client de ne pas dominer l'environnement. Le minaret, soit dit en passant, est symbolique – le sud de Dublin n'entendra pas l'appel à la prière à intervalles réguliers pendant la journée.

ADRESSE adjacent à Rosemount Crescent, Roebuck Road, Clonskeagh, Dublin
MAÎTRE D'OUVRAGE The Islamic Foundation of Ireland
INGÉNIEUR DE STRUCTURE Ove Arup and Partners
AUTOBUS 11, 11A, 11B, 62
ACCÈS ne se visite pas

Michael Collins and Associates 1996

Dublin Sud

Michael Collins and Associates 1996

Terminal des ferry-boats du port de Dun Laoghaire

Dun Laoghaire, le terminal de ferry-boats le plus actif du pays, est pour de nombreux visiteurs la première vue de l'Irlande. L'arrivée du ferry futuriste HSS, un catamaran de la taille d'un terrain de football, a entraîné la réorganisation de tout le secteur et la construction d'un nouveau terminal.

Le nouveau bâtiment, prévu pour faire vivre une expérience que l'on associe plus volontiers aux aéroports qu'aux ports de mer traditionnels, a des salons d'arrivée et de départ et des zones d'enregistrement et de livraison des bagages. Il a la forme d'une structure longue et mince qui relie le ferry à la terre. De l'endroit où le HSS s'amarre à l'extrémité la plus éloignée, les piétons traversent un pont de liaison jusqu'au nouveau terminal – les voitures débarquent de la manière habituelle sur le côté du bâtiment. Le hall d'arrivée se trouve à l'étage supérieur sous le toit bas et incurvé. De là, une série d'escalators et d'escaliers permet aux passagers de descendre au rez-de-chaussée, à la livraison des bagages, puis de passer dans le hall d'arrivée et de sortir en direction de la ville. Les passagers en partance suivent le parcours inverse vers le salon de départ, à un étage différent.

Extérieurement, la séparation entre les arrivées et les départs est articulée par un grand mur en forme d'aileron, revêtu de granite, qui fait saillie sur l'avant du salon multipont situé au centre. Il est surmonté d'une rotonde de verre et d'acier qui est le point de mire de l'ensemble car le bâtiment se déploie en éventail tout autour, rassemblant dans la plus grande fantaisie courbes, angles et facettes. La construction et les matériaux – panneaux de revêtement blancs avec une superstructure d'escaliers et de balcons métalliques légers – prolongent le thème de la mer et donnent au terminal même, notamment au salon en saillie, l'allure d'un ferry à quai.

Burke-Kennedy Doyle and Partners 1995

Burke-Kennedy Doyle and Partners 1995

Le bâtiment est relié à la ville par une nouvelle place paysagée audacieuse qui semble transplantée telle quelle de Barcelone, avec ses palmiers et ses mâts disposés en groupes géométriques assortis et des sièges sinueux à la manière de Gaudi revêtus de mosaïques colorées irrégulières. Dans la partie principale de la place, du côté départ du mur en forme d'aileron, une rangée d'élégants éclairages conduit à l'entrée. Le périmètre de la place est clairement délimité par un mur qui permet de voir la mer et Howth Head au loin en faisant abstraction de tout l'attirail des docks au premier plan. Le mur tourne pour envelopper l'espace et son tableau de mobilier urbain, notamment Gaoth Na Saile (vent de sel), une sculpture nouvelle de Eamonn O'Doherty (voir page 40) et un jet d'eau. L'ensemble évoque le voyage et l'étranger et fait appel à des citations à la manière des célèbres agences de voyages de Hans Hollein.

La décision d'influencer la première impression que les visiteurs ont de l'Irlande par un projet si ouvert et d'influence européenne est révélatrice de l'état d'esprit positif et plein d'assurance qui règne actuellement dans le pays.

ADRESSE Dun Laoghaire Port, Harbour Road, Dun Laoghaire, Co. Dublin
MAÎTRE D'OUVRAGE Ministère de la Marine
ARCHITECTE – PAYSAGISTE Mitchell Associates
INGÉNIEUR DE STRUCTURE P H McCarthy and Partners
COÛT £IR 16 millions
AUTOBUS 45A, 45B, 46A, 59, 75, 111; DART Dun Laoghaire
ACCÈS libre

Burke-Kennedy Doyle and Partners 1995

Burke-Kennedy Doyle and Partners 1995

Bureaux municipaux de Dun Laoghaire

La réorganisation des circonscriptions administratives locales de Dublin a suscité une série de nouvelles mairies – à Tallaght (voir page 290), au centre de Dublin, ici à Dun Laoghaire et à Swords, au nord de Dublin, où la mairie de Fingal est en cours de construction sur des plans de Bucholz McEvoy et BDP. Les bureaux municipaux de Dun Laoghaire-Rathdown sont un agrandissement de la mairie polychrome d'origine (1860) qui est aussi le clou d'un groupe d'édifices publics victoriens tardifs, notamment la gare ferroviaire et les yacht-clubs voisins. L'agrandissement contextuel du bâtiment n'a pas l'ambition de dominer l'ancien bâtiment, bien qu'avec ses 10 000 m² il soit plus de quatre fois plus grand. La nouvelle façade principale sur Crofton Road s'harmonise avec les matériaux et les principales lignes horizontales de son prédécesseur mais sans en reproduire les détails. En revanche, les architectes ont élaboré un modernisme posé et mesuré qui réalise un équilibre habile entre l'ancien et le neuf, comme le projet de Gunnar Asplund pour le palais de justice de Gothenburg. Ce classique moderne est proche du plan en anneau tournant autour d'un atrium à trois étages, éclairé par une rangée de lanterneaux voûtés. L'espace central destiné aux réunions, aux expositions et aux récitals et à servir d'« intermédiaire entre le public et les autorités locales », est volontairement souple grâce à des cloisons coulissantes et pliantes de grande échelle. L'entretien du bâtiment suit un programme « vert » d'aération naturelle grâce à des tours d'aération faisant office de cheminée et brisant la ligne des toits, politique éclairée développée dans toutes les nouvelles mairies de Dublin.

ADRESSE à l'angle de Crofton Road et de Royal Marine Road, Dun Laoghaire, Co. Dublin
COÛT £IR 8,5 millions
AUTOBUS 8, 45A, 45B, 46A, 59, 75, 111; DART Dun Laoghaire
ACCÈS libre

McCullough and Mulvin Architects/Robinson Keefe and Devane 1996

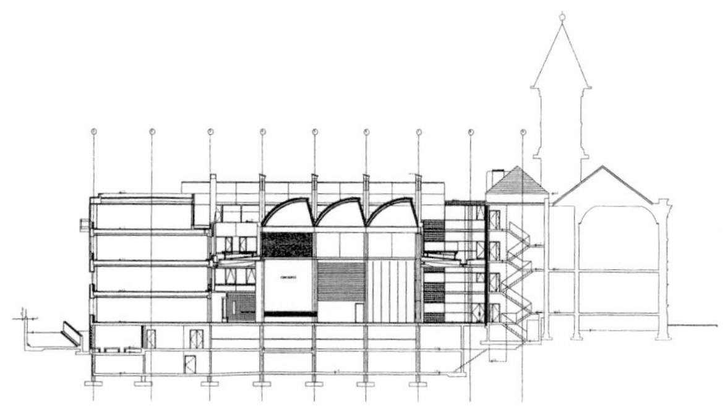

McCullough and Mulvin Architects/Robinson Keefe and Devane 1996

Caserne de pompiers

Cette caserne de pompiers, bon exemple de prolongement moderne de la « Tradition fonctionnelle », est conçue d'après un module de construction cohérent de dix travées avec des murs de refend en parpaings à nu et au niveau du toit une structure soignée de ferme en acier. Dans cette ossature utilitaire sont encastrés les divers éléments de la mission à remplir – du garage des voitures de pompiers aux aménagements pour un personnel de 100 membres (notamment les zones de mess et de rassemblement, et les dortoirs et bureaux entourant une cour paysagée).

Sur la rue, les travées d'extrémité sont comblées par des panneaux de maçonnerie mais sur l'arrière, le bâtiment s'ouvre par des sections comblées de matériaux légers surplombant la cour – outre le garage qui est vitré des deux côtés pour laisser voir les autopompes rouges qu'il abrite. Le résultat d'ensemble a été obtenu, sans procédés architectoniques empruntés, en suivant simplement la logique des décisions stratégiques d'origine bien conçues. C'est réconfortant !

ADRESSE Kill Avenue, Dun Laoghaire, Co. Dublin
MAÎTRE D'OUVRAGE Municipalité de Dun Laoghaire
ARCHITECTE RESPONSABLE DU PROJET Edward Conroy
INGÉNIEUR DE STRUCTURE Michael Punch and Partners
COÛT £IR 2,24 millions
AUTOBUS 46A ; DART Dun Laoghaire
ACCÈS ne se visite pas

Dun Laoghaire Architects Department 1991

Dun Laoghaire Architects Department 1991

University College Dublin, School of Engineering

Le cabinet Scott Tallon Walker a reçu une série de commandes juteuses pour les principaux établissements d'enseignement en Irlande, notamment le plan directeur de l'université de Galway, une série de bâtiments à Trinity College et ici à University College Dublin (UCD). Leurs projets récents (présents dans ce livre) constituent un ensemble cohérent où ils réinterprètent une gamme limitée de formes et d'idées dans divers types de bâtiment. STW est surtout intéressé par la création de stratégies et de constructions modulaires et prolongeables. La plus grande de ce groupe d'ouvrages est l'école d'ingénieurs commandée en 1974 et dont la première tranche a été achevée en 1989, sur une superficie de 13 000 m². Avec sa série d'ateliers, fonderies et laboratoires, elle a été conçue sur une grande d'échelle et elle est lourde à utiliser.

Le bâtiment est actuellement à la dérive sur le campus de l'UCD en attendant que la deuxième tranche le relie à l'axe principal est-ouest. Le hall vitré est disposé sur l'axe de l'ancien Centre d'Études Industrielles de STW (page 272) avec lequel il partage un langage commun puisque les deux édifices ressemblent à tous les autres, ici comme à Trinity. Le hall vitré, haut de quatre étages, génère le plan et il est prévu que quatre ailes se raccordent sur ce hall à l'ouest. À ce jour, seules ont été construites deux ailes entre lesquelles se niche un atelier à étage unique dont le toit est une structure métallique suspendue. D'autres locaux, surtout des petits bureaux, occupent les ailes courtes à l'est du hall.

L'entrée principale, signalée par des travées vitrées en saillie, est surélevée jusqu'au premier étage pour des raisons incertaines, d'où le grand escalier exposé aux éléments. Cette mesure répondait à la demande du client qui voulait un « bâtiment sans ascenseur » mais elle maintient l'édifice à l'écart de son environnement, et doublement, étant donné qu'il est entouré d'un fossé goudronné et de murs de béton. Outre la travée d'entrée (qui sera répé-

Scott Tallon Walker Architects 1989

Scott Tallon Walker Architects 1989

tée à l'autre bout du hall quand la deuxième tranche sera terminée), le bâtiment est entièrement enveloppé d'un revêtement de panneaux carrés en béton renforcé de fibres de verre à granulats granitiques, avec des fenêtres carrées ou des panneaux-jalousies assortis. Une certaine animation est créée par les cages d'escalier nues en béton au bout de chaque aile mais, dans l'ensemble, le bâtiment est opaque et de l'extérieur on ne voit pas l'intérieur. Parmi les autres aspects intéressants du bâtiment, signalons une ancienne machine à balancier transportée ici par la brasserie Guinness et un monte-charge en acier.

Bien que l'échelle soit beaucoup plus grande, les plans ici rappellent les premiers entrepôts « high-tech » de Nicholas Grimshaw, dont le principal intérêt était le système de revêtement, le jeu consistant à satisfaire les nombreux types différents d'élévations avec le moins possible de types de panneaux interchangeables. Cependant, si l'on pense à la manière dont Grimshaw pourrait résoudre ce problème aujourd'hui, on penche plutôt pour un édifice comme le Financial Times Printworks où les murs de verre donnant sur les ateliers révèlent la destination du bâtiment et animent l'espace environnant.

L'École d'Ingénieurs résout clairement les questions d'organisation et de construction d'un dossier complexe, et l'intégration rigoureuse de la structure et des services va de pair avec une précision extrême dans les détails mais elle contribue peu à la vie extérieure du campus.

ADRESSE University College Dublin, Belfield, Dublin 4
INGÉNIEUR DE STRUCTURE Ove Arup and Partners
COÛT £IR 13 millions
AUTOBUS 3, 10, 11B, 17, 52
ACCÈS ne se visite pas

Scott Tallon Walker Architects 1989

University Industries Centre, University College Dublin

(Centre d'Études Industrielles)

Le Centre d'Etudes Industrielles, premier exemple du revêtement mural en béton renforcé de fibres de verre à granulats granitiques, familier à la plupart des bâtiments récents des architectes, a été conçu comme un forum d'interaction entre les élèves-ingénieurs et l'industrie dans son ensemble. Cette relation est explicitée par l'emplacement du bâtiment près de l'entrée et du hall de l'école d'ingénieurs voisine (voir page 268) à laquelle il est relié axialement.

L'édifice à volume unique abrite un auditorium en pente dont le niveau supérieur est relié à une zone d'exposition. Son plan triangulaire peu commun, dérivé de la forme en éventail de l'auditorium aux 250 places, crée une monumentalité qui permet à ce petit bâtiment de s'imposer dans les espaces dégagés du campus. La géométrie du plan se reflète dans la structure triangulaire du toit et le même quadrillage s'impose à tous les murs et espaces intérieurs.

Il ne faut pas manquer ce véritable bijou qu'est le kiosque d'entrée de l'université, derrière le bâtiment, également réalisé par Scott Tallon Walker Architects. Notez l'interaction entre un morceau de béton presque néolithique et la délicate boîte en verre sans cadre qu'il surmonte.

ADRESSE University College Dublin, Belfield, Dublin 4
INGÉNIEUR DE STRUCTURE Ove Arup and Partners
COÛT £IR 1 million
AUTOBUS 3, 10, 11B, 17, 52
ACCÈS ne se visite pas

Scott Tallon Walker Architects 1985

Scott Tallon Walker Architects 1985

O'Reilly Hall, University College Dublin

Le nouveau hall, à l'extrémité nord de l'axe principal, présente un plan simple avec un auditorium rectangulaire dont l'entrée se trouve sur un des petits côtés, sous un portail indépendant. Du côté du lac, une grande loggia à huit travées forme avec ses murs en retrait entièrement vitrés une galerie extérieure couverte. Le hall poursuit la tradition de Mies van der Rohe des jours heureux où le cabinet STW élevait des bâtiments comme le siège de la Banque d'Irlande. La pureté de la vision de Mies demeure le moteur mais sa clarté structurale a été soumise à un intérêt prépondérant pour la « peau ». Bien que la précision du système de revêtement du hall soit admirable, les colonnes de la galerie revêtues de façon à s'assortir aux murs révèlent un manque d'intérêt pour la tectonique que Mies lui-même n'aurait jamais manifesté.

La géométrie du carré est omniprésente, du cube du portail d'entrée aux proportions de la galerie et au quadrillage des panneaux de revêtement. Mies n'était pourtant pas très intéressé par le carré, percevant un danger de banalité dans son abstraction naturelle. L'utilisation que fait STW du système de revêtement sur tous ses bâtiments récents est en soi un remarquable chef-d'œuvre de cohérence. Il estime peut-être (à l'instar de Tadao Ando) que déterminer au préalable les matériaux libère l'architecte qui peut se concentrer sur des questions plus fondamentales. Ou peut-être est-ce la façon du moderniste impénitent d'éviter ce qui est en vogue ou éphémère. Mais il est difficile de ne pas éprouver un sentiment de déjà vu devant ce nouveau quadrillage de béton renforcé de fibres de verre.

ADRESSE University College Dublin, Belfield, Dublin 4
INGÉNIEURS DE STRUCTURE Keogh and McConnell/Ove Arup and Partners
COÛT £IR 3,1 millions
AUTOBUS 3, 10, 11B 17, 52
ACCÈS ne se visite pas

Scott Tallon Walker Architects 1994

Scott Tallon Walker Architects 1994

Bâtiment de la recherche en biotechnologie, University College Dublin

Un petit laboratoire de recherche présentant la palette de matériaux et de détails qui sont la marque de fabrique de Scott Tallon Walker – panneaux carrés en béton renforcé de fibres de verre et fenêtres d'aluminium dans l'alignement du mur – prend ici un tour nouveau sous la forme d'une grande baie incurvée et de cages d'escalier incurvées en dalles de verre. C'est essentiellement un simple bâtiment rectangulaire de laboratoires sur deux étages avec un couloir central reliant les tours. La baie incurvée offre aux chercheurs chimistes des postes de travail indépendants des laboratoires. La courbe marque aussi l'emplacement de l'entrée, indiquée plus clairement par les marches et le chemin d'accès que par des indices sur l'élévation dont le quadrillage n'est même pas interrompu par les portes.

À l'intérieur, le bureau d'accueil marque le centre d'un demi-cercle orné d'une toile de fond murale. À l'étage, une lucarne centrale éclaire une salle de réunion centrale dans la zone des postes de travail non cloisonnée, conçue pour encourager l'interaction entre les chercheurs.

À l'extérieur, le bâtiment est caractérisé par un large brise-soleil d'aluminium dont les points de fixation disposés en cercle pour les fils de suspension forment un motif tout autour de la courbe. Comme toujours chez STW, le bâtiment acquiert une dimension supplémentaire grâce à la précision et à la qualité de la construction et à la clarté de son plan.

ADRESSE University College Dublin, Belfield, Dublin 4
INGÉNIEUR DE STRUCTURE Ove Arup and Partners
AUTOBUS 3, 10, 11B, 17, 52
ACCÈS ne se visite pas

Scott Tallon Walker Architects 1994

Scott Tallon Walker Architects 1994

Aumônerie des doyens des résidences universitaires

Le dossier prévoyait des logements individuels pour cinq prêtres, ainsi que des aménagements collectifs, une grande salle de réunion et une salle de méditation. Le modèle suivi est celui du manoir avec un agencement symétrique des pièces que reflètent les élévations soignées. La maison est divisée horizontalement en deux couches de grande hauteur sous plafond, agencement original du profil des espaces auquel ne font allusion que les élévations. Le vestibule mène axialement à la salle de réunion centrale dont la baie incurvée peu profonde donne sur le jardin. Sur les côtés de la salle de réunion, des mezzanines abritent les cuisines, l'appartement de l'économe et des espaces utilitaires. Un tambour en saillie sur le côté du bâtiment principal abrite la salle de méditation. Le niveau supérieur est constitué d'une rangée de cinq logements, composés de salles de séjour de grande hauteur sous plafond côté jardin et de chambres à coucher en mezzanine et de balcons surplombant les salles de séjour.

Le précédent du manoir est explicite dans les élévations étonnamment symétriques. La façade principale, face à l'énorme école d'ingénieurs (page 268) avec laquelle elle a une relation axiale, suit la tradition et c'est l'élévation la plus classique et la plus fermée, tandis que la façade sur jardin, au sud, avec sa baie incurvée et ses fenêtres plus larges, est plus ouverte. Les deux élévations sont la citation froide, rationnelle et maîtrisée d'un ancien étudiant et employé de Mies van der Rohe, professeur d'architecture à l'UCD de 1973 à 1995.

ADRESSE University College Dublin, Belfield, Dublin 4
INGÉNIEUR DE STRUCTURE Joseph McCullough and Partners
AUTOBUS 3, 10, 11B, 17, 52
ACCÈS ne se visite pas

Professor Cathal O'Neill and Partners 1989

Professor Cathal O'Neill and Partners 1989

Banque « drive-in »

Cette première banque « drive-in » d'Europe est un point de repère bien visible sur la route principale de Dublin en venant du sud, surtout le soir quand le toit flamboyant plane au-dessus du sol comme un OVNI de passage. C'est aussi un symbole du développement de la banlieue dublinoise qui offre la commodité d'une visite à la banque sans quitter le cocon protecteur de sa voiture.

Le bâtiment principal, dont le toit est suspendu à un noyau central de béton, est en fait une banque ordinaire, et les éléments propres au « drive-in » sont agencés en caisses automatiques séparées. La circulation automobile a régi l'agencement du site tout en engendrant la forme circulaire de la banque principale. La structure métallique sophistiquée donne l'impression d'être suspendue en porte-à-faux au noyau central mais en fait elle soutient le bord du baldaquin extérieur qui jaillit d'une poutre annulaire au-dessus des murs extérieurs.

ADRESSE Cornelscourt, Co. Dublin
MAÎTRE D'OUVRAGE Allied Irish Bank
INGÉNIEUR DE STRUCTURE Horgan Lynch and Partners
AUTOBUS 45, 46, 84, 86
ACCÈS services drive-in ouverts 24h sur 24

Robinson Keefe et Devane 1990

Robinson Keefe et Devane 1990

Club de golf et hôtel de Charlesland

Greystone se trouve juste à la lisière de la conurbation de Dublin, à un emplacement qui devient de plus en plus accessible du centre ville grâce à l'amélioration des liaisons routières et ferroviaires. Ce qui était autrefois un lieu de villégiature pour les Dublinois est devenu la grande banlieue et les changements démographiques ont suscité une demande d'activités de loisirs, notamment le golf. Charlesland est un nouveau terrain de golf doté d'un club-house et d'un petit hôtel. Le club et l'hôtel sont situés dans une campagne onduleuse idyllique entre la mer et les montagnes de Wicklow, au centre du nouveau terrain. Les locaux sont divisés en deux bâtiments rectilignes : celui du sud abrite les principales pièces de réception – bar, salle de banquet et restaurants – celui du nord les chambres à coucher, les bureaux et les services. Le bâtiment nord est en oblique pour former un hall central effilé à éclairage zénithal entre les bâtiments qui dessert les principales zones de circulation.

La réputation de Paul Keogh au début de sa carrière reposait sur une série de petits projets qui trouvaient le moyen d'intégrer des formes et des détails traditionnels, souvent classiques, dans des projets contemporains – thème qui est repris ici, notamment dans les équipements intérieurs. La construction est placée bas dans le paysage et les deux bâtiments rectilignes sont coiffés de toits à pente unique. Une cour d'entrée elliptique mène à l'entrée, située à l'extrémité de l'allée principale. Le long de la façade sud, trois baies de serres s'élèvent au-dessus de la ligne des avant-toits pour capter le soleil et la vue. Les pièces principales sont rendues par des blocs blancs enduits, tandis qu'une bande de brique rouge à toit plat qui traverse le plan abrite les zones de service. Tout en étant clairement moderne, l'équilibre des formes fait également référence à des racines plus traditionnelles – aux bâtiments de bord de mer en particulier.

Paul Keogh Architects 1992

Paul Keogh Architects 1992

À l'intérieur, la galerie centrale est animée par les changements de niveau. La suite formelle de pièces au sud s'annonce dans l'espace par une rangée d'ouvertures sculpturales sur le mur nord, et le salon au bout de la galerie est formé très distinctement par une saillie semi-circulaire dans l'épaisseur de la bande des services. Les intérieurs sont caractérisés par des groupements symétriques d'éléments sculpturaux avec des détails basés sur la tradition mais distinctement contemporains, essentiellement en hêtre. L'esprit du mouvement « Arts and Crafts » de la Belle Époque inspire l'intérieur et des équipements comme les cheminées et les lambris rappellent, par exemple, le Mary Ward Settlement à Londres, ou les soupentes des manoirs. Les baies au sud permettent de circuler entre les pièces de réception et d'accéder à la terrasse qui offre un panorama sur le dernier trou du terrain de golf.

Le plan des étages supérieurs est un modèle de précision et de clarté, de même que la liaison des pièces de réception orientées au sud grâce aux baies, vers la terrasse et le terrain de golf plus loin. Il a toutefois été réalisé à grands frais; les vestiaires, le sauna et le bassin d'eau froide ont été relégués au sous-sol, sans éclairage ni vue. Le bâtiment demeure néanmoins un bon exemple de la possibilité de combiner habilement la tradition et les antécédents pour créer des bâtiments sophistiqués, capables de faire concurrence au contexte et au monde contemporain.

ADRESSE Charlesland Golf Club, Greystones, Co. Wicklow
MAÎTRE D'OUVRAGE Charlesland Golf and Sporting Services Ltd
INGÉNIEUR DE STRUCTURE John Moylan and Associates
COÛT £IR 2 millions
DART Greystones
ACCÈS hôtel ouvert au public

Paul Keogh Architects 1992

Dublin Ouest

Centre commercial « The Square »

Ville nouvelle commencée au début des années 1970, quand Dublin était la capitale européenne à la croissance la plus rapide, Tallaght est maintenant la quatrième ville d'Irlande par la taille. Composée de maisons jumelées identiques qui s'étendent sur d'interminables kilomètres, la voiture y est un instrument indispensable de survie et toutes les routes mènent inévitablement au « Square » dont le grand toit pyramidal domine les routes d'approche comme un pharaon du commerce qui ferait signe à ses fidèles. Garez-vous dans le parking de 2000 places et entrez dans le « Meilleur des Mondes » si vous réussissez à trouver une entrée. Malgré ses quelque 55 700 m² de surfaces de vente, ce monstre n'a que quatre entrées. Ses élévations nues montrent que le bâtiment n'est pas intéressé par la ville ; son but : créer un monde imaginaire où le soleil brille toujours, les palmiers se balancent dans la brise et on peut oublier l'existence de Tallaght. Les images peuvent toutefois déclencher une rêverie différente. C'est peut-être vraiment le futur d'Aldous Huxley, un refuge contre un monde empoisonné. Peut-être le labyrinthe chaotique et étourdissant des galeries existe-t-il parce qu'il n'y a pas de sortie ? Peut-être une cascade électrique et des arbres en pot sont-ils tout ce qu'il reste de la nature ? Et la chaleur étouffante et la foule claustrophobique signifient qu'il y a ici plus d'individus que le système ne peut en supporter… Le centre commercial couvert composé de galeries est sans doute destiné à vivre et c'est le plus grand exemple de Dublin – au moins jusqu'à l'achèvement de celui de Blanchardstown.

ADRESSE centre ville de Tallaght, Blessington Road, Dublin 24
MAÎTRE D'OUVRAGE Monarch Properties Ltd et GRE Properties Ltd
INGÉNIEUR DE STRUCTURE T J O'Connor and Associates
COÛT £IR 40 millions
AUTOBUS 49, 54A, 56A, 75, 201, 203
ACCÈS libre

Burke-Kennedy Doyle and Partners 1990

Burke-Kennedy Doyle and Partners 1990

Bureaux municipaux de Dublin sud

La sortie nord du « Square » (page 288) mène à un axe piétonnier vers les nouveaux bureaux municipaux de Dublin sud dont le rôle civique est indiqué par un toit en pente et un signal lumineux. À l'arrivée, l'emplacement de l'entrée ne fait plus aucun doute quand on a dépassé le bâtiment bas à gauche et que le chemin s'élargit pour mener à une cour d'entrée. On est transporté sur le champ de Tallaght en Scandinavie. La brique d'un brun doux, les lumières de Louis Poulson et les toits à tuile imbriquée qui descendent presque jusqu'au sol parviennent à un équilibre subtil entre l'envergure civique et la simplicité aimable et accessible que l'on trouve dans les meilleurs ouvrages danois. La touche finale de l'espace est une sculpture pertinente en acier inoxydable par Mike Bulfin symbolisant « la communauté ».

Les portes de l'entrée principale donnent sur un hall public orienté est-ouest, à éclairage zénithal, qui monte en flèche sur trois étages jusqu'à un toit délicat à ferme métallique et forme les principaux espaces publics. La deuxième entrée publique du hall se trouve à l'est, où elle entretient une nette relation axiale avec le Collège technique régional (voir page 294) à environ 800 m à l'est. Un aspect important du projet était un désir d'établir une relation urbaine entre les principaux édifices de Tallaght, au milieu des ordures environnantes implacables. Il est espéré que cette structure formelle se développera quand d'autres édifices publics seront construits – par exemple un nouvel échangeur.

Le hall abrite les guichets des différents services et un café, et du hall on accède à la bibliothèque et aux salles du conseil municipal au sud. Derrière, au nord, ce sont les principaux espaces de bureaux. La salle du conseil municipal elle-même est élégante et modeste avec un agencement simple mais expressif de « forum en rond ». Une fenêtre d'angle s'ouvre directement sur la cour d'entrée, ce qui donne aux passants une vue de

Gilroy McMahon Architects 1994

Gilroy McMahon Architects 1994

leurs représentants élus en action – geste courageux en vue de la « démocratie transparente ». Lors de notre visite, cette fenêtre avait déjà été cachée par un rideau mais on ne nous a pas précisé si on voulait se protéger du soleil ou de la démocratie…

L'édifice a été construit selon une procédure « clé en main » nouvelle en Irlande mais courante dans les autres pays d'Europe, où l'entrepreneur contrôle la totalité du travail et fait de l'architecte son sous-traitant. Ce procédé rend le contrôle des coûts au moins aussi important que l'architecture (et même plus en général) et exige une souplesse d'approche de la part de l'architecte. Des McMahon indique que dans ces cas l'architecte doit « choisir ses cibles » et se concentrer sur certaines zones au détriment des autres. Aux bureaux municipaux, les espaces publics étaient la cible et la qualité en est excellente. Des touches comme le revêtement de céramique du mur au niveau inférieur donnent une finition pimpante avec une note scandinave et qui résistera à l'usure. En revanche, les espaces de bureaux au nord donnent l'impression que l'entrepreneur était ici plus maître de la situation et elles sont quelconques en comparaison. Toutefois, pris dans son ensemble, c'est un édifice qui permet à Tallaght d'espérer.

ADRESSE centre ville de Tallaght, Blessington Road, Tallaght, Dublin 24
MAÎTRE D'OUVRAGE South Dublin Civic Council
INGÉNIEUR DE STRUCTURE T J O'Connor and Associates
COÛT £IR 8 millions
AUTOBUS 49, 54A, 56A, 75, 201, 203
ACCÈS libre

Gilroy McMahon Architects 1994

Collège Technique Régional

C'est un bâtiment à l'ancienne mode mais il ne s'en porte pas plus mal. À une époque où le débat architectural est tellement basé sur le style, il est réconfortant de voir un bâtiment neuf qui revient aux idéaux modernistes consistant à résoudre les problèmes par une analyse rationnelle et à élaborer un système architectural qui intègre dans un tout clair et logique la structure, la circulation, les installations de service et les schémas d'utilisation.

Le collège est un établissement d'enseignement postscolaire dont le campus offre tous les aménagements nécessaires pour 1 000 étudiants répartis dans trois départements différents – Commerce, Ingénierie et Sciences. Quand on entre par l'est, on passe devant la bibliothèque où la vue des étudiants au travail met dans l'ambiance. Le vestibule a une hauteur de trois étages comme le bâtiment et tous les principaux espaces sociaux – réfectoire, bibliothèque et amphithéâtre principal – sont réunis autour de lui. La combinaison du vestibule haut de trois étages et du réfectoire voisin haut de deux étages (avec un immense mur vitré orienté au sud) crée une perspective spectaculaire à l'entrée, embellie de touches modernistes comme les lucarnes circulaires et un balcon incurvé en forme de piano à queue.

La clé de l'organisation est l'axe central, rue intérieure sur laquelle se raccordent les différents locaux selon les besoins. Cet axe pourvoit aussi aux principaux itinéraires de service, à la circulation et aux sorties de secours, et simplifie un futur agrandissement. Le vestibule est directement raccordé à l'axe central qui dévie ensuite vers le nord, en desservant successivement les salles de cours, les laboratoires et autres locaux. Les bâtiments de l'ouest sont séparés par des cours abritant des escaliers raccordés à l'axe central, identifiés par un code de couleur. La cour de la bibliothèque est déjà totalement close ; la deuxième tranche terminera la

Brady Shipman Martin 1992

Brady Shipman Martin 1992

clôture des deux autres cours par un nouveau bâtiment parallèle à l'axe central.

À l'extérieur, les élévations sont élaborées directement à partir du plan et du profil ainsi que des exigences de l'orientation, sans aucune affectation. Les matériaux cohérents sont empruntés à une palette limitée : ce sont essentiellement des blocs à nu et des fenêtres d'aluminium.

À l'intérieur, la plupart des matériaux sont laissés à nu, notamment la robuste ossature de béton et les murs en parpaings. Seule l'utilisation d'un plafond suspendu sonne faux – les services à nu auraient contribué à augmenter la clarté et étendu le sentiment de la « matérialité » exposée ailleurs. Tout est très direct et dénué d'artifice.

ADRESSE Blessington Road, Tallaght, Dublin 24
MAÎTRE D'OUVRAGE Department of Education
INGÉNIEUR DE STRUCTURE James Harrington Associates
COÛT £IR 8 millions
AUTOBUS 49, 49A, 50A, 54, 56A, 65, 65A, 65B, 77, 77A, 77B à partir du centre ville
ACCÈS sur rendez-vous

Brady Shipman Martin 1992

Dublin Ouest

Brady Shipman Martin 1992

Église paroissiale de Firhouse

C'est l'un des premiers édifices de Blacam et Meagher, gagné sur concours, et il présente un caractère peu commun et extrêmement abstrait. La forme extérieure – une enceinte rectangulaire uniforme de parpaings – crée un monde secret qui évoque les jardins entourés de murs des manoirs. L'entrée est indiquée par un petit portique indépendant dans l'angle sud-ouest. En plan, l'enclos est divisé en trois carrés dans le sens de la largeur et quatre en hauteur, ce qui permet d'aménager une église cruciforme avec des cours aux quatre angles. L'église elle-même est une ossature de béton quadrillée à toit plat, de plan traditionnel : nef à deux travées, croisée du transept, chœur et transept. Les murs orientés vers les cours sont entièrement vitrés et peuvent rester ouverts pendant les offices l'été, estompant la limite entre les espaces intérieurs et les cours plantées d'arbres. Le concept du jardin clos est chargé d'images religieuses, de même que l'extérieur dissimulé, suivi par la transparence et l'ouverture que l'on découvre en entrant.

Les images architecturales ne sont pas moins convaincantes et rappellent les maisons à cour de Mies van der Rohe avec des tas d'ajouts empruntés à Louis Kahn et Gunnar Asplund. L'église illustre comment une idée architecturale et un agencement simples peuvent engendrer une grande richesse de significations et d'interprétations.

ADRESSE Firhouse Road, Firhouse, Dublin
MAÎTRE D'OUVRAGE Archidiocèse catholique de Dublin
INGÉNIEUR DE STRUCTURE Joseph McCullough and Partners
COÛT £IR 150 000
AUTOBUS 49, 50, 75
ACCÈS libre

de Blacam and Meagher Architects 1978

de Blacam and Meagher Architects 1978

Index

Photographs by Keith Collie except page 123, by Kate Horgan; pages 245 and 247, by Peter Cook